Jessice

Ludzie zwykli mówić, że błogosławieni „niebo oglądać będą"; moim życzeniem jest wiecznie oglądać ziemię.

Peter Handke

Poskramiacz

E.V. nie owijał w bawełnę. Pod żadnym pozorem nie uważał się za zaklinacza koni. Był poskramiaczem. Potrafił okiełznać narowiste konie, a kiedy doprowadził je do porządku, zawsze już były potulne jak baranki. Mieliśmy jednego takiego z paskudnym felerem – pięciolatka, którego tata kupił za tysiąc dwieście dolarów po gonitwie na torze w Sodomie. Jego potężny zad i mocne pośladki sprawiały całkiem dobre wrażenie, za to mózg posiadał nie większy od ziarnka grochu. Gdy się go do czegoś przywiązało, miał nieznośny zwyczaj zapierać się i szarpać uzdę z wielką siłą. Kiedy pewnego dnia zwalił sobie na łeb połowę drewnianej stodoły, zadzwoniliśmy po E.V. Ten pojawił się u nas tydzień po terminie wraz ze swym jak zawsze zdezelowanym wyposażeniem – półtonowym szewroletem rocznik 54 na tablicach z Arizony oraz jednokonną przyczepą z postrzępioną budą i łysymi oponami. Zawsze parkował swój zaprzęg u podnóża wzniesienia i wdrapywał się pieszo stromą, żwirową drogą do obejścia, bo bez lusterek wstecznych nie byłby w stanie zawrócić na naszym kiszkowatym podjeździe. Nie pokazywał się zbyt często, bo tata sam sobie radził z większością „tępych bydlaków", ale zawsze gdy miał złożyć nam wizytę, odczuwałem wielkie podniecenie.

E.V. był sprężystym, niskim mężczyzną dobrze pod sześćdziesiątkę. Utykał silnie na jedną nogę, bo kiedy miał czternaście lat, czyli mniej więcej tyle co ja, podkuwany koń zmiażdżył mu rzepkę kolanową. Wspinał się na górę, kuśtykając miarowo, a jego opuszczony ku ziemi szary filcowy kapelusz podrygiwał przy każdym kroku. Przez ramię miał przewieszoną starą, połataną dętkę, u lewej ręki zwisała mu śnieżnobiała bawełniana lina, której luźne końce zatknął sobie za pas z końskiego włosia. Zawsze sądziłem, że regularnie pierze tę linę w bielince, dzięki czemu ona zachowuje tak nieskazitelną biel. To była najczystsza rzecz, jaką posiadał. Kiedy dotarł na górę, wcale nie dyszał ani nie sapał, choć można by było tego oczekiwać po kimś w jego wieku. Zjawił się nagle, jakby wyrósł spod ziemi.

– To jak, Mason, nie wyprawiłeś go jeszcze do rzeźni? – uśmiechnął się szeroko do taty, prezentując kilka nierównych, brązowych zębów i błyskając oczami spod opadających powiek. Gdyby nie ich bladoniebieski kolor, można by powiedzieć, że to oczy Indianina.

– Jakbym miał czekać na ciebie jeszcze tydzień, to sam urżnąłbym mu łeb – powiedział tata i jego głos wcale nie zabrzmiał wesoło.

– Wybacz, Mason, ale musiałem załatwić kilka pilnych spraw w Oakdale.

– Pilnych spraw, dobre sobie. Pojechałeś sobie pobzykać i tyle.

E.V. wydał z siebie przenikliwy kwik, jak zarzynane prosię, co było wyrazem dzikiego rozbawienia, więc roześmieliśmy się wraz z nim, choć tata spoważniał o wiele szybciej, niż się spodziewałem. Ruszyliśmy w stronę wybiegu na tyłach rozwalonej stodoły, gdzie trzymaliśmy naszego wałacha. Kiedy E.V. ujrzał rozrzucone, połamane w drzazgi belki, świadczące o napadzie końskiej złości, znowu zaczął chichotać.

– Mam nadzieję, Mason, że on jest wart więcej od tych paru desek.

Tym razem tata się nie uśmiechnął, a jego głos zabrzmiał nieco złowieszczo:

– I tak nie będzie wart złamanego grosza, jak zrobisz z nim porządek.

E.V. puścił do mnie oko, tak żeby tata nie widział. Jego gest powiedział mi, że są na tym świecie dorośli faceci, którzy potrafią jeszcze cieszyć się życiem i jakoś udaje im się omijać czarną dziurę, w którą wpadł mój tata. Kiedy podeszliśmy do wybiegu, E.V. zsunął dętkę z ramienia na ziemię, oparł nogę na belce ogrodzenia i popatrzył na kłopotliwego konia.

– Jest dość hardy, prawda?

– Tak mu się tylko roi w tym głupim łbie – burknął tata.

E.V. stał zgarbiony przez chwilę i przyglądał się wałachowi, który truchtał nerwowo w kółko, z podniesionym ogonem, parskając i strzygąc w naszą stronę obramowanymi czarną obwódką uszami.

– Nie jest wcale taki głupi – uśmiechnął się E.V., przyglądając się z uwagą zachowaniu konia. – Już wyczuwa, że mamy na niego sposób. Coś ci powiem, synu – zwrócił się do mnie. W chwili gdy spoczął na mnie jego wzrok, poczułem jakby delikatne dotknięcie gorącej dłoni na piersi. W jego spojrzeniu było ciepło i życzliwość; z zaskoczeniem zdałem sobie sprawę, jak bardzo tego potrzebuję. – Weź tę starą dętkę i zaczep ją na tamtej wielkiej, sękatej gałęzi jaworu. Wiesz, na której?

Wskazał konar potężnego drzewa, które zawsze przypominało mi ludzką postać. Było blade, z gruzłami przypominającymi mięśnie i czerwonymi pasmami kory na pomarszczonym pniu, które wiły się jak arterie. Z niewiadomego powodu drzewo to zawsze wywoływało we mnie lęk, zwłaszcza gdy jako mały chłopak przedzierałem się po ciemku przez porośnięte krzakami pagórki. Nagle wyrastało przede mną jak biała zjawa, a gałąź, na którą właśnie wskazywał E.V., przerażała mnie najbardziej. Wiele razy omijałem ją z daleka, jadąc na mojej starej gniadej kobyle, w obawie, że się nagle wyprostuje i zrzuci mnie z siodła. Byłem jednak wtedy dużo młodszy i z czasem jakoś się z tym uporałem.

– Przewiąż tak, żeby lina sama się zacisnęła – E.V. zademonstrował sposób mocowania na wyprostowanej ręce, a potem rzucił dętkę w moją stronę.

– Lepiej będzie, jak ja to zrobię – mruknął tata, widząc, jak sięgam po dętkę, ale E.V. go powstrzymał:

– Zostaw go, Mason. Będę cię potrzebował przy bramce. On sobie poradzi. Zaczep ją mocno i wysoko, synu. Musi być dużo wyżej niż łeb.

Szybko chwyciłem dętkę, zanim tata ponownie wyraził sprzeciw. Przeczuwałem, że E.V. na poczekaniu wymyślił dla niego to zajęcie przy bramce. Wiele razy widziałem, jak wyprowadzał konia przez bramkę bez niczyjej pomocy.

Musiałem wspiąć się na to straszne drzewo, aby przymocować dętkę na odpowiedniej wysokości. Kiedy skończyłem z tą robotą, E.V. trzymał już wałacha na swojej białej linie. Tata stał bezczynnie przy bramce. Z drzewa miałem świetny widok na wszystko; w powietrzu unosił się zapach świeżo skopanej ziemi i eukaliptusa. Za zbiornikiem z wodą widać było dalekie brunatne pagórki, pośród których roczne byczki wzbijały tumany pyłu. W chwili gdy E.V. przeprowadzał konia przez bramkę wybiegu, wałach eksplodował, zaczął pierdzieć i wierzgać jak szalony. E.V. wydał z siebie ten sam wysoki, kwiczący chichot, uwiesił się na linie i ściągnął łeb konia ku ziemi. Jego następne ruchy były tak szybkie, że nie mogłem za nimi nadążyć. Jakby tańczył gigę, jednocześnie śpiewając; przerzucił grubą linę nad końskim zadem, tak że zsunęła się przy lewej pęcinie, a potem szarpnął mocno, podcinając tylną nogę wałacha. Koń wyrżnął klatką piersiową o ziemię z głośnym łomotem, aż zatrzęsło się drzewo, na którym siedziałem. E.V. wciąż kwiczał z uciechy, gdy koń stanął na nogi, drżący na całym ciele; wyglądał, jakby zwaliły się na niego niebiosa.

– Widzisz go? – wrzasnął E.V., wciąż trzęsąc się ze śmiechu. – Czegoś takiego się nie spodziewał!

Tata otrzepywał ziemię z tyłka, starając się zachowywać, jak gdyby nigdy nic, ale choć siedziałem tak wysoko, spostrzegłem wywołaną strachem bladość jego twarzy. Potem E.V. zrobił coś bardzo zabawnego. Podszedł do konia z przodu i dmuchnął mu delikatnie w chrapy, w każdą z osobna, jednocześnie głaszcząc go między zaokrąglonymi jak spodki ganaszami. Na moment koń jakby pogrążył się w drzemce, przymknął oczy i leciutko opuścił łeb.

– Teraz czuje się trochę głupio. Wydaje mu się, że to była jego wina. Od dziś pomyśli dwa razy, zanim zacznie kopać i wierzgać, przechodząc przez bramkę.

E.V. zachichotał i pogłaskał konia po łopatce. Tata zobaczył, że wciąż siedzę wysoko na gałęzi, i wrzasnął na mnie głosem, który nie pozostawiał cienia wątpliwości, kto tu rządzi:

– A ty złaź stamtąd zaraz! Przecież ten koń znowu się wścieknie, jak cię tam zobaczy!

– On będzie mi jeszcze potrzebny, żeby przywiązać linę. Chyba że wolisz sam mnie podsadzić. – E.V. znów zachichotał, a tata spojrzał na mnie i zgrzytnął zębami. Pewnie był zazdrosny o to, że to mnie przypadła główna rola w całym przedstawieniu. Z daleka wyczuwałem, jak bardzo jest rozczarowany. E.V. podprowadził konia pod jawor i rzucił mi linę. Złapałem jej rozpleciony koniec za pierwszym razem.

– Przywiąż ją do dętki i zrób podwójny węzeł. Tylko spokojnie i powoli, żeby go nie spłoszyć.

Zrobiłem, co mi kazał, i kiedy zaciskałem drugi węzeł, spostrzegłem, że wałach przygotowuje się do kolejnej rozróby. Mięśnie grzbietu napiął jak postronki, na szyi pojawiły mu się ciemne strumyki potu. Poczułem zapach strachu, tak silny jak smród zdechłego szczura w korycie. Był to strach dwojakiego rodzaju: ludzki i zwierzęcy. Ujrzałem, jak gałki oczne konia poruszają się i zastygają, wpatrzone we mnie, siedzącego wysoko w górze. Wiedziałem, że z jego punktu widzenia cały świat stanął na głowie. Nagle zdałem sobie sprawę, że za chwilę będę podskakiwał na sękatej gałęzi, gdy on wpadnie w furię i spróbuje zwalić to cholerne drzewo na siebie.

– A teraz, synu, trzymaj się mocno gałęzi.

Głos E.V. podziałał na mnie kojąco. Otoczyłem gałąź ramionami i nogami, tak jak to robią małpy, i mocno do niej przywarłem. Wałach szarpnął w tył z wielką siłą, wstrząsając łbem jak lew, ale dętka ściągnęła go z powrotem na to samo miejsce. Gałąź zadrżała lekko, na głowę poleciał mi brązowy pył z suchych liści. Wydmuchałem z nosa jaworowy kurz i patrzyłem, jak jego drobiny połyskują w słońcu, opadając na łeb strzygącego uszami konia.

– Trzymaj się, synu! – krzyknął E.V. – Doskonale sobie radzisz!

Jego głos dotarł do mnie w chwili, gdy znalazłem się w stanie dziwnego zawieszenia, kiedy wiadomo, że za chwilę stanie się coś strasznego, i nic nie można na to poradzić. Nic cię nie uratuje, jesteś w potrzasku. Pamiętam twarz taty, która zrobiła się całkiem biała, choć dziś nie jestem pewien, czy to o mnie się wtedy obawiał, czy też przerażała go gwałtowność tej sceny. Wałach parsknął i grzebnął kopytem, próbując pojąć sprężynujące działanie dętki. Byłem prawie pewny, że wydał z siebie głęboki pomruk, jak osaczony ranny byk. A potem spostrzegłem, że sprężył się w sobie. Mięśnie wzdłuż grzbietu napięły mu się pod wpływem samobójczej decyzji i zaczął ciągnąć lśniącą białą linę całą siłą pięciuset kilogramów żywych mięśni. To było powolne, stopniowe działanie. Dętka rozciągnęła się jak toffi, zmieniła barwę z czarnej na popielatą. Była tak napięta, że zaczęły z niej odpadać drobne okruszki gumy. Obserwowałem je jakby z oddalenia, jak gdybym z brzegu rzeki przyglądał się brzęczącym nad wodą komarom. Gałąź wygięła się i trzeszczała, cały świat kołysał się przez dłuższą chwilę. Wszystko działo się leniwie, powoli. Serce o mało mi nie stanęło, gdy gałąź zaczęła się prostować. Ujrzałem wszystkie cztery kopyta wałacha odrywające się od ziemi i przerażone oczy zwierzęcia, gdy zdało sobie sprawę, że frunie w powietrzu. Łeb z gwiazdką na czole wyrżnął o twardy jak skała pień jaworu, z łomotem przypominającym upadek połówki wołu na zimny beton. Ściskając kurczowo drgającą jeszcze przez chwilę gałąź, gapiłem się w dół na powalonego konia, leżącego bez ruchu pode mną i krwawiącego z obu nozdrzy. Gruby różowy język zwisał mu z pyska niby zdechły łosoś. Jak z odległej planety dobiegł mnie przerażony krzyk taty:

– Zabiłeś sukinsyna! Niech cię cholera, E.V., zabiłeś go!

Tymczasem E.V. stał już w rozkroku nad końską szyją i zdejmował linę. Rozwarł powieki wałacha i splunął na obie gałki oczne, a następnie dmuchnął mu silnie w każde ucho. Koń szarpnął lekko głową, E.V. odskoczył od niego i zwijał linę, chichocząc jak dzieciak.

– Nie jest martwy, tylko oszołomiony – zarechotał. – Bądź tak dobry, synu, odwiąż linę i rzuć tu na dół.

Zrobiłem, o co mnie prosił, patrzyłem na tatę, jak niepewnym krokiem podchodzi do leżącego konia i wpatruje się w niego, szukając oznak życia.

– Ile krwi! Popatrz tylko! Ten koń jest martwy. A miał być dla mnie pod siodło... i co teraz? Wygląda gorzej niż psie żarcie.

– Za dwie minuty stanie na nogi – zarżał E.V. – I do cholery, gwarantuję ci, że od dziś możesz go uwiązywać nawet na sznurowadle.

– Nie płacę za taką robotę. Nie wynająłem cię, żebyś zamordował tego przygłupa. To mógłbym zrobić sam.

Tata pomaszerował wściekły do domu, zostawiając mnie siedzącego na drzewie. Patrzyłem z góry na przepocony kapelusz E.V. i powalonego konia, który dyszał przeciągle i chrapliwie. E.V. wciąż układał linę w luźne pętle. Powiedział, nie kierując swych słów do nikogo:

– Z koniem jak z człowiekiem. Musi znać granice swoich możliwości. Gdy mu je pokażesz, będzie szczęśliwy niczym dziecko.

Jak na komendę koń zerwał się na równe nogi i potrząsnął łbem, opryskując krwią linę E.V. Ten uśmiechnął się i rzekł:

– I tak miałem ją uprać.

Zbliżył się do konia tym swoim dziwacznym krokiem, złapał go za grzywę i oprowadził po wybiegu. Wałach szedł obok niego spokojnie jak stara źrebna klacz. E.V. zatrzymał go pod zbiornikiem z wodą, oczyścił mu chrapy, a potem delikatnie przemył oczy i puścił go luzem na wybieg. Przez chwilę patrzył za nim tak samo jak przedtem, z jedną nogą wspartą o belkę ogrodzenia, i miętosił koniec bawełnianej liny. Zrobiło się cicho. W oknie sypialni taty zapaliło się światło. Powiew wiatru zagrzechotał blachą na dachu ocalałej części stodoły.

E.V. odjechał i odgłos silnika jego szewroleta dawno już utonął we mgle, unoszącej się nad dnem doliny, a ja wciąż jeszcze siedziałem na drzewie. Siedziałem i przyglądałem się, jak zapada noc i sowy zlatują się na wysoki eukaliptus, by śledzić najmniejsze poruszenie na podwórku. Sięgnąłem w dół i namacałem koniec dętki pozostawionej przez E.V. Chwyciłem ją obiema dłońmi, zsunąłem się z gałęzi i zawisłem w przestrzeni z rękami wyciągniętymi nad głową, obracając się powoli w chłodnym, nocnym powietrzu. Pode mną kręciło się całe ranczo. Odchyliłem głowę do tyłu i z szeroko otwartymi ustami spojrzałem w nocne niebo. Ogromna plama Mlecznej Drogi sprawiła, że z piersi wyrwał mi się przenikliwy krzyk, tak jakby ktoś pociągnął mnie za sznur kręgosłupa. Przepełniała mnie ogromna radość. Usłyszałem, że tata woła mnie z zakrytej siatką werandy, ale nie odezwałem się. Wisiałem tak, obracając się w milczeniu. Już wiedziałem, skąd przyszedłem i jak daleka droga przede mną.

W pół drogi do Coalingi

Zjeżdża na pobocze przy skraju pastwisk Coalingi i gasi silnik. Ma przed sobą widok na całą senną dolinę San Joaquin, ale nie jest w stanie tego zarejestrować. Nie odczuwa podziwu ani tchnienia historii, lecz jedynie pogardę. Rozżarzone powietrze cuchnie bydłem. Mężczyzna czuje, jak puls uderza mu w podstawę wysuszonego języka, głowa staje w płomieniach. Po sam czubek. W pobliżu znajduje się milczący automat telefoniczny; stoi samotnie na chromowanym słupie z bladoniebieską plastikową kopułą, chroniącą przed rozżarzonym słońcem. Jej nowoczesny styl napawa go wstrętem; sprawia, że czuje się jeszcze bardziej przybity i wyobcowany. Za aparatem telefonicznym stoją na grubych, ciemnych kupach własnego łajna pełne patosu stadka opasowych bukatów, czekających na rzeź. Kupy parują, gotując się w intensywnym słońcu, jak gdyby miały za chwilę eksplodować i rozrzucić kawałki wołowiny po autostradzie. Za stadem bydła nie ma już niczego. Nic się nie porusza aż po zamglony, szary horyzont.

„Pora zadzwonić!" Ten impuls dociera do niego jak głos; komenda. Jeśli nie zrobi tego teraz, nie zadzwoni już nigdy. Mniejsza o strach, już czas zatelefonować. Wysiada z auta i zatrzaskuje drzwi dodge'a. Dźwięk się nie niesie. Urywa się nagle u jego stóp. Mężczyzna sięga do kieszeni po drobne i rusza z chrzęstem w stronę telefonu, idąc po luźnym żwirze wśród mysich szczątków, rozdeptanych puszek po piwie i wypłowiałych od słońca prezerwatyw. Wszystkie te przedmioty dostrzega teraz bardzo wyraźnie; widzi je, jakby były wyłożone na stalowym blacie, aby mógł je osobiście zbadać jak dowody przestępstwa. Widzi również jej twarz. Jej wielkie oczy. Słyszy jej głos, ukryte w nim przerażenie – jeszcze przed wrzuceniem ćwierćdolarówki. Zamawia połączenie bezpośrednie na koszt abonenta, pokonując po drodze nagrane głosy central telefonicznych; głosy kobiet w różnym wieku, wszystkie całkowicie pozbawione seksualności. Ma pewność, że jego żona musi być w domu. Wybrał ten moment, wiedząc, że tam będzie. I rzeczywiście jest.

– Gdzie jesteś? – padają jej pierwsze słowa. Wiedział, że będzie to pierwsza rzecz, o którą spyta, i strach rośnie w nim jeszcze odrobinę.

– W Coalindze – odpowiada.

– Co robisz tam na dole?

– Jadę na południe.

– Po co? Co właściwie robisz?

– Po prostu... jadę.

– Jedziesz? Kiedy wrócisz? – pyta kobieta. Mężczyzna słyszy w jej głosie, że ona już wie.

– Nie wracam.

– Mam rozumieć, że nigdy? Nie masz zamiaru nigdy wrócić?

– Raczej nie.

– O mój Boże! – kobieta z trudem łapie powietrze.

Mężczyzna słyszy przerażający łomot w jej piersi, wywołany szokiem; jej oddech oddala się stopniowo, przechodząc w kamienną ciszę. Obok przejeżdża ciężarówka, warkot powoli zanurza się w stalowoszarych okowach upału. Któryś z bukatów muczy. Jego głos staje się przenikliwy.

– Posłuchaj – nagle padają jej słowa. – Pojadę i spotkam się z tobą w pół drogi, zgoda? Ty zawrócisz i przejedziesz pół drogi, i ja też. Czy to nie brzmi uczciwie? Żeby po prostu porozmawiać, dobrze? Zrobisz to? Spotkasz się ze mną w pół drogi?

– Nie sądzę – odpowiada mężczyzna, starając się zachować pewność w głosie.

– Chyba możemy zrobić to dla siebie po piętnastu wspólnych latach? Spotkać się w połowie drogi. Przecież nie proszę o zbyt wiele? Wtedy moglibyśmy przynajmniej pomówić. Nie możemy przecież rozmawiać o tym przez telefon.

– Zajechałem już tak daleko – odpowiada mężczyzna.

– Wiem. O tym właśnie mówię. Nie proszę cię, żebyś zawrócił i przejechał całą drogę. Chcę przejechać pół drogi i spotkać się z tobą w jakimś miejscu.

– Gdzie? – pyta mężczyzna. – Nic tu nie ma po drodze.

– Nie wiem. W Gilroy lub gdzie indziej.

– W Gilroy?

– Gdziekolwiek! Wszystko mi jedno, gdzie. To bez znaczenia.

– Nie, nie mogę zawrócić – odpowiada mężczyzna.

– Dlaczego nie? Po całym tym czasie? Po tylu latach? A co ze Spence'em? Masz zamiar powiedzieć mu, że nie wracasz?

– Nie teraz.

– Kiedy? – zadaje pytanie kobieta.

– Nie wiem.

– Więc co mam mu powiedzieć?

– Powiedz, że zadzwonię do niego.

– Kiedy?

– Nie jestem pewien.

Znów zapada cisza. Przeszywa ją pisk krążącego jastrzębia. Obok z rykiem przejeżdża jeep. Jeep bez okien ani drzwi, wiatr smaga twarz kierowcy z szeroko otwartymi oczami.

– Jesteś tam jeszcze? – mówi mężczyzna.

– A gdzie mam być? – odpowiada ona.

– Nie wiem.

– Czy to z jej powodu? Czy to jest przyczyna? Jedziesz tam, by być razem z nią.

– Tak. Po to tam jadę.

– W takim razie co z jej mężczyzną? Czy ona również z kimś nie jest?

– Jest.

– Więc co z nim? Co ona ma zamiar zrobić?

– Sądzę, że zamierza mu powiedzieć.

– Jeszcze mu nie powiedziała?

– Nie wiem.

– Nie wiesz, a mimo to zamierzasz tam jechać?

– Tak.

– Wiesz, co to dla mnie oznacza, prawda? Mam na myśli moje życie i wszystko... mojego ojca...

– Tak. Wiem.

– Twojego ojca też.

– Tak.

– Nie pomyślałeś o tym?

– Pomyślałem.

– A Spence...

Jej głos się urywa. Mężczyzna spogląda w dół, na swoje buty. Chciałby coś odczuwać. Obcasem jednego buta przyciska mocno palce w drugim. Słońce pali go w kark.

– Do czego to doprowadzi?

Jej głos pojawia się znowu. Mężczyzna wyczuwa, że ona wszystko rzuca na szalę.

– Co to właściwie zmieni? Wymiana kobiet. Uważasz, że to cokolwiek rozwiąże; zrobi jakąś różnicę?

– Nie wiem – odpowiada mężczyzna.

– Cokolwiek to jest, co sprawia, że ty... co budzi w tobie ten impuls... To tkwi w tobie, prawda? Zamiana kobiet nic nie zmieni. Niczego nie rozwiąże.

– Nie. Prawdopodobnie nie.

– Nie rozwiązało niczego, kiedy zmieniłeś inną na mnie, czyż nie?

– Nie.

– Ile razy już to robiłeś, i co to dało?

– Nie wiem.

– Więc dlaczego to robisz kolejny raz?

Nie potrafi odpowiedzieć. Nie ma odpowiedzi. Bukaty zaczynają rozpaczliwie ryczeć, jeden po drugim; potem znowu zapada cisza. Ciężki odór oraz spiekota sprawiają, że jego oczy zaczynają łzawić. Przeciera je rękawem i przez chwilę wydaje mu się, że naprawdę płacze; jest przekonany, że to jakiś odruch żalu. Spogląda teraz na siebie z dystansu, jak gdyby patrzył z lotu ptaka, z perspektywy wysoko krążącego jastrzębia: malutki człowiek na rozległej przestrzeni, ściskający kurczowo kawałek czarnego plastiku. Nie słyszy nawet swego oddechu, tak bardzo się oddalił. Nie słyszy bicia własnego serca.

– Powiedz Spence'owi, że zadzwonię do niego, okay? – odzywa się w końcu.

– Nie możesz wyświadczyć mi uprzejmości i spotkać się ze mną w pół drogi?

– Nie mogę – odpowiada.

– Zamierzasz jeszcze zadzwonić?

– Tak. Już przecież mówiłem.

– Kiedy?

– Jutro.

– Musisz porozmawiać ze Spence'em.

– Pomówię z nim.

– Nie mogę mu powiedzieć.

– Zadzwonię.

– W porządku – mówi kobieta i odwiesza słuchawkę z miękkim kliknięciem.

Wolałby, żeby wykrzyczała słowa, jakich nigdy przedtem nie słyszał. Jakieś słowa. Wciąż trzyma słuchawkę i patrzy na akry ogrodzenia, w którym zamknięto bydło. Nie jest w stanie uwierzyć, że przez to przeszedł; nie dowierza, że już po wszystkim. Nie może już wrócić. Pokonał ponad pół drogi do Los Angeles. Nigdy nie będzie mógł wrócić. Drzwi zamknęły się za nim z cichym trzaśnięciem. Jakiś kobiecy głos coś do niego mówi. Nagrany głos telefonistki poucza go, by odwiesił słuchawkę. Głos powtarza tę kwestię po kilkakroć, potem przechodzi w ostre akustyczne sygnały. Mężczyzna puszcza słuchawkę, pozwalając jej się kołysać. Bipnięcia nie ustają.

Rusza w dalszą drogę i podkręca klimatyzację. Głowa stopniowo się ochładza. Oczy przestały piec, a bydlęcy odór powoli pozostaje z tyłu. Stara się patrzeć we wsteczne lusterko na rozkołysaną słuchawkę, lecz szybko gubi ją z oczu, niczym pozostawioną z tyłu drobną cząstkę samego siebie. Ostre sygnały wciąż rozlegają się pod sklepieniem czaszki. Przypomina sobie rozmowę, jaką przed niespełna miesiącem przeprowadził w myślach ze swoją żoną. Wtedy jego głowa nie była tak rozpalona. Przypomina sobie, że wyimaginowana rozmowa odbyła się na tej samej autostradzie, niemal dokładnie w połowie drogi, jak teraz, z tym że wtedy zmierzał na północ. Jechał z powrotem do niej. Powiedział wtedy, że nigdy jej nie opuści; mówił przy tym głośno w kabinie ciężarówki, jakby naprawdę siedziała obok niego. Opowiadał, jak doszedł do tej decyzji. Że nigdy nie powtórzy błędów popełnionych przez ojca. I nigdy nie opuści syna. Zapewniał o tym żarliwie... przepełniony radością. Pamięta to uczucie pełnego przekonania. I wrażenie, że jest uczciwym człowiekiem. Gorący wiatr z doliny wpadający przez otwarte okno był wtedy niczym źródło siły. Kiedy dotarł na miejsce i ona zbiegała z frontowego ganku na jego powitanie, nie mógł się doczekać, by jej o tym powiedzieć. Jednak nigdy tego nie uczynił. Coś się stało. Coś się zmieniło. Coś, czego nigdy nie zauważał, kiedy się zdarzało.

Nad Tejon Pass zapada już noc. On wie, że pół drogi ma dawno za sobą. Wie, że zabrnął głęboko w działania, o których podjęciu do tej pory tylko marzył. Miejsce mężczyzny zajmuje w tej chwili wystraszony chłopiec; odpycha go, chwyta za kierownicę, jedzie naprzód po omacku w ciemnościach i zjeżdża z wijącej się meandrami góry ku dzikim światłom Los Angeles.

Przy skrzyżowaniu Highland i Sunset z ogromnych billboardów uśmiechają się do niego lubieżnie błyszczące twarze filmowych gwiazd. Niektóre z nich są w akcji: uciekają przed wybuchem, spadają w białej przestrzeni, wymierzają ciosy, strzelają, wyskakują przez szklane tafle wystawowych okien. Inne zastygły w słodkich objęciach, z szeroko rozchylonymi ustami i wygiętymi do tyłu szyjami, przechodząc od orgazmu do nieosiągalnej dla zwykłego śmiertelnika ekstazy. Limuzyny o wydłużonej karoserii, z przyciemnionymi szybami, wydające niskie, basowe tony, przemierzają ulice z tajemniczym ładunkiem. Gromadki rozhisteryzowanych, piszczących dziewczyn z rozpuszczonymi włosami, z ciałami wytatuowanymi i poprzekłuwanymi we wszystkich możliwych miejscach, biegną w kierunku nocnego klubu, obramowanego pulsującym lawendowym neonem, potykając się na wysokich koturnach tylko po to, by potem czekać w kolejce, aż ogoleni na łyso bramkarze je przeszukają.

Melduje się w hotelu Tropicana, bez bagażu, szczoteczki do zębów czy zmiany bielizny. Nocny recepcjonista ma zaćpane oczy. Oczy, które nie dbają wcale o to, kogo mają przed sobą. W pokoju, który dostał, jest tylko łóżko i telefon. pomieszczenie pachnie kiepskim chińskim jedzeniem. Rozsuwa zasłony i spogląda na falujące refleksy światła, które odbija się w basenie. Odblask hotelowego logo, czerwonej palmy z neonówki, kołysze się w jego drugim końcu. Gruby człowiek w czarnych kąpielówkach siedzi okrakiem na zjeżdżalni, wpatrując się w palce nóg. Porusza nimi, jakby szukał w nich śladu życia. W jednym z pokoi po drugiej stronie basenu ktoś włączył telewizor. Zaciąga zasłony.

Mężczyzna odwraca się do wnętrza i włącza światło. Podchodzi do telefonu. Nauczył się numeru na pamięć. W przeciągu dwóch ostatnich lat dzwonił pod ten numer może z milion razy, z każdego możliwego miejsca. Chwytał za telefon w każdym możliwym stanie ducha, oczekując na głos po drugiej stronie. Głos, bez którego, o czym był przekonany, nie potrafił już żyć. Głos, dla którego porzucił wszystko.

– Halo – odzywa się ten głos, a on nie jest w stanie uwierzyć, że to takie proste.

– To ja – mówi.

Kobieta śmieje się, on odczuwa nagłe podniecenie, jakby spadał z wysoka z rozhuśtanej liny do lodowatej wody.

– Gdzie jesteś? – kobieta chichocze.

– Tuż obok.

– W mieście?

– Tak. W Tropicanie.

– W Tropicanie! – mówi ona z piskiem. – Co właściwie tam robisz?

– Odszedłem.

– Co? – odzywa się kobieta i przestaje się śmiać.

– Odszedłem.

– Nie... Masz na myśli twoją żonę?

– Tak.

– Powiedziałeś jej?

– Tak. Zrobiłem to. Powiedziałem jej.

Kobieta znowu się śmieje, lecz tym razem inaczej. Można w tym wyczuć ostrożny dystans.

– No cóż... – mówi. – A więc ona wie już o wszystkim?

– Tak. Wie.

– Co jej powiedziałeś?

– Powiedziałem, że odchodzę.

– Kiedy to się stało?

– Dzisiaj – mówi mężczyzna. – Po prostu dzisiaj. Po drodze, kiedy jechałem tutaj.

– To szaleństwo! – kobieta śmieje się ponownie, tym razem jednak prawie wcale nie zabrzmiało to jak śmiech. W głosie słychać niepokój.

– Czy możesz tu przyjechać? – pyta mężczyzna. – Muszę cię zobaczyć.

– Co? Masz na myśli teraz? Właśnie teraz?

– Tak. Przyjedź tu. Jestem w pokoju numer siedemnaście.

– No cóż, właśnie teraz nie mogę. Bo... po prostu nie mogę.

– Dlaczego? – pyta mężczyzna.

– Cóż... prawdę powiedziawszy, właśnie szykowałam się do wyjścia.
– Dokąd się wybierasz?
– Do Indiany, David dostał tam nowe stanowisko.
– David? – pyta mężczyzna.
– Tak. Po prostu się zdecydowałam. On na mnie czeka.
– Czeka na ciebie, gdzie?
– W Indianie. Dopiero co mówiłam.
– Lecisz do Indiany, żeby spotkać się z Davidem?
– Tak. Byłam już w drzwiach, kiedy zadzwonił telefon.

Do uszu mężczyzny dochodzi z zewnątrz głośny plusk grubasa, który wskoczył do basenu. Potem zalega cisza. Daleki odgłos syreny.

– Halo – odzywa się kobieta. – Jesteś tam jeszcze?
– Dokąd właściwie mam pójść?

Kawałek muru berlińskiego

Mój stary absolutnie nic nie wie o latach osiemdziesiątych. Na lekcję wiedzy o społeczeństwie w siódmej klasie muszę przeprowadzić z nim wywiad, a on nic nie wie. Stwierdza, że nie pamięta niczego na temat aut, fryzur, mody, muzyki czy czegokolwiek. Oznajmia, że gospodarka ruszyła wtedy z miejsca i było to zasługą republikanów, lecz poza tym nic więcej nie utkwiło mu w pamięci. Dodaje, że najistotniejszymi faktami w ósmej dekadzie było pierwsze spotkanie z moją matką oraz narodziny mojej siostry i moje. Te dwie sprawy. To wszystko. Kiedy usiłuję go przekonać, że wywiad nie powinien dotyczyć spraw prywatnych, on twierdzi, że to jest sedno tematu. Oświadczam mu, że potrzebne mi są informacje na temat stylu i przelotnych mód oraz o tym, co w tamtym czasie działo się w kraju, on zaś mówi, że żadna z tych rzeczy nie ma nic wspólnego z rzeczywistością; rzeczywistość to „kwestia wewnętrzna", a cała reszta spraw jest po prostu powierzchowna i fałszywa – jak wiadomości. Oznajmia jeszcze, że wszystkie wiadomości są kłamstwami, a powodem ich popularności jest to, że sprzedają się pod przykrywką prawdy; ludzie w nie wierzą, gdyż chętniej wierzą w kłamstwa. Prawdy nie byliby w stanie przełknąć. Tak właśnie mówi mój tato. Klaruję mu, że mam dokonać prostego zestawienia faktów o dekadzie lat osiemdziesiątych, nie wdając się w roztrząsanie „rzeczywistości" i „wiadomości", lecz on stwierdza, że nie można pominąć kwestii rzeczywistości; kwestia rzeczywistości spycha na dalszy plan wszystkie pozostałe – dotyczące fryzur, samochodów, muzyki i tym podobnych rzeczy. Potem dodaje, że nie pamięta nawet, jak żył w latach osiemdziesiątych, być może wcale wtedy nie żył, chociaż musiał żyć, bowiem z tamtego okresu pamięta spotkanie z moją matką oraz przyjście na świat moje i mojej siostry. Powtarza to kolejny raz. Mój stary ma kompletnego fioła. Naprawdę. Przez długi czas nie zdawałem sobie z tego sprawy, ale on jest szajbnięty. Moja siostra wie dużo więcej o tej dekadzie niż tata, chociaż jest ode mnie starsza zaledwie o rok z hakiem. Chodzi do dziewiątej klasy. Wie dużo o wielu sprawach – nie pytajcie mnie, skąd – jak choćby na temat sposobu, w jaki w tamtych czasach nosiło się spodnie, z dziwacznie zwężonymi nogawkami, wkładanymi w cholewki butów zapinanych na zamki błyskawiczne. Dziewczyny nosiły wtedy dziurawe rajstopy – kabaretki – oraz tanie białe rękawiczki z bawełny, starając się upodobnić do Madonny, która królowała wówczas, jak mi się zdaje, na listach przebojów. Naśladowano też Michela Jacksona, który dopiero zaczynał rozjaśniać swoją czarną skórę, oraz Boba Segera, którego jedynym znanym, jak mi się wydaje, kawałkiem był głupawy *Like a Rock* z reklamy. Pominąwszy to wszystko, wie również dużo o polityce, jak choćby o tym, że Rosja przestała być dawną Rosją, a mur berliński został rozebrany. Kiedy pytam, skąd wie o takich rzeczach, oświadcza, że tam była.

– Tak, akurat – powątpiewam.

– No pewnie, mogę to udowodnić – oznajmia moja siostra i biegnie na górę do swojej sypialni, po chwili zbiega z kawałkiem pomalowanego betonu wielkości cheeseburgera i kładzie go na kuchennym blacie wprost przede mną i moim starym.

– Co to jest? – pytam.

– To kawałek berlińskiego muru – odpowiada siostra.

– To prawda! – oświadcza mój tata, bardzo podekscytowany tym widokiem. – To jest naprawdę kawałek muru! Czyż to nie jest niewiarygodne? – Bierze go do ręki i obraca, wyczuwając jego ciężar, jak gdyby pochodził z innej planety czy coś w tym rodzaju. – Kiedy pojechałaś zobaczyć mur berliński, skarbie?

Siostra spogląda na niego w oniemieniu.

– Nie pamiętasz? – dziwi się. – Pojechałam z mamą i ciocią Amy.

– Nie pamiętam tego – odpowiada tato. – Ile miałaś wtedy latek?

Mój tata niczego nie pamięta. Jakby stracił rozum. Jak może nie pamiętać czegoś takiego? Podróży własnej córki pod berliński mur? Nie jest na tyle stary, żeby tracić rozum, a jednak tak się dzieje.

– Gdzie ja wtedy byłem? – pyta mój stary.

– Musiałeś zostać w domu – odpowiada siostra.

– Widocznie musiałem – potakuje ojciec.

Pytam siostrę, jak zdobyła kawałek berlińskiego muru, ona zaś opowiada, jak jechały przez Berlin w czasie, gdy rozbierano mur, a robotnicy po prostu rozdawali kawałki, wkładając je przez okna do przejeżdżających aut. Wyglądało to jak ogromne przyjęcie. Miała wtedy trzy latka i zapamiętała ogromne, włochate dłonie mężczyzn wsuwające się przez okno i podające im ułomki kamienia i betonu, jak gdyby były to porcje ciasta, a ona nie miała pojęcia, o co chodzi. Wpatruję się w bryłkę cementu leżącą na kuchennym blacie. Jedna strona jest gładka, równa i pomalowana jaskrawym turkusem i fioletem, z cienkim żółtym paskiem biegnącym pośrodku – wygląda to jak farba w sprayu, być może graffiti. Druga strona – pokruszona i chropawa, można rozpoznać fragmenty materiałów, z jakich zrobiono beton: drobne, gładkie kamyki, które wyglądają, jakby pochodziły z głębokich lasów, oraz ostry żwir wymieszany z białym jak kreda cementem, zupełnie nieprzypominającym amerykańskiego, i jeszcze malutkie, błyszczące drobinki. Kiedy pociągnie się paznokciem po ich krawędzi, odgłos bardziej przypomina szkło niż kamień.

Moja siostra proponuje mi, żebym zabrał kawałek berlińskiego muru do szkoły i pokazał całej klasie, co jest w moich oczach niezwykle wspaniałomyślnym gestem. Wtedy mój tata bierze do ręki ciężką bryłkę i wkłada ją do foliowego woreczka. Kiedy pytam go, dlaczego to robi, odpowiada, że nie chce, by zginął. Stwierdza, że to bardzo ważne, żeby nie zginął, ponieważ jest to wzięty z życia kawałek współczesnej historii. O co właściwie się troszczy? Nie jest nawet pewien, czy żył w tamtych latach, a teraz nazywa ten kawałek betonu wziętym z życia. To nie ma żadnego sensu. Wyciąga z szuflady dużą rolkę srebrnej taśmy izolacyjnej i oddziera kawałek zębami. Przykleja taśmę do woreczka, wyciąga czarny marker i pisze na folii wyrazy: KAWAŁEK MURU BERLIŃSKIEGO, jakby to była muzealna etykieta czy coś w tym rodzaju.

– Tak właśnie należało zrobić – oznajmia. Chyba zupełnie mu odbiło.

Moja siostra odrabia w tym czasie lekcje, mimo to podaje kolejne fakty z lat osiemdziesiątych, bombarduje mnie nimi, pracując nad swoimi zadaniami, jak gdyby potrafiła rozdzielić umysł na pół i robić dwie rzeczy naraz. Sądzę, że jest naprawdę bystra.

– Na zachód od Waszyngtonu miała miejsce erupcja wulkanu – mówi. – Po pierwszej erupcji nastąpiły kolejne i ciągnęły się do końca roku. Prawda, tato, że to było w latach osiemdziesiątych?

Nie wiem, dlaczego zwraca się z pytaniem do niego. Skąd on może wiedzieć?

– Nie wiem – odpowiada tata i ściera mokrą gąbką czarne mrówki z blatu. Nie stara się ich rozgniatać, tylko ściera je na podłogę i pozwala im się rozpełznąć.

– Dlaczego ich nie zabijesz? – pytam ojca.

– Lubię mrówki – odpowiada. – Przypominają mi lato i gorące miejsca. Zawsze mieliśmy w domu mrówki, kiedy dorastaliśmy.

Mówi o tym, jakby opowiadał o szczeniętach lub świnkach morskich.

– I odkryto wtedy AIDS! – wyrzuca z siebie moja siostra. – Wtedy właśnie, w latach osiemdziesiątych, odkryto wirusa HIV.

Jest teraz na fali – nie mam pojęcia, jak funkcjonuje jej umysł. To dla mnie tajemnica; cytuje z pamięci fakty, jakby spoglądała na zielony ekran czy coś podobnego. AIDS? Jak wygrzebała to z czubka własnej głowy?

– A Marvin Gaye został zastrzelony przez własnego ojca, prawda? – dodaje jeszcze.

W jednej chwili tata nieruchomieje pośrodku kuchni, jakby ktoś walnął go w tył głowy deską.

– Zgadza się – potwierdza. – Pamiętam to.

– Naprawdę? – powątpiewam i patrzę prosto na niego, jak stoi, trzymając w dłoni gąbkę, z której skapują na podłogę krople wody.

Patrzy przed siebie, nie widząc mnie ani mojej siostry, ani niczego innego, jakby usiłował utrwalić w pamięci zdjęcie Marvina Gaye'a postrzelonego w głowę i ociekającego krwią, wybrane spośród innych zdjęć publikowanych wtedy w mediach, których on nienawidzi.

– Pamiętam to bardzo dokładnie – kontynuuje. – Byłem w Kalifornii. To był 1984 rok, lato albo wiosna 1984 roku, i było bardzo gorąco. Marvin Gaye został zabity przez ojca, który był pastorem, czyż nie tak? Wydaje mi się, że był. Był osobą duchowną i postrzelił swego syna w głowę z powodu... z powodu jakichś spraw związanych z kobietami, jak sądzę. To miało coś wspólnego z kobietą, prawda?

Odwraca się do mojej siostry, która nie zdaje sobie sprawy, że pytanie to jest skierowane wprost do niej, i dalej robi swoje, z głową pochyloną nad książką, intensywnie pracuje nad zadaniem domowym.

– Czy to nie miało jakiegoś związku z kobietą? – pyta ją ponownie tata.

Moja siostra podnosi w końcu wzrok na niego i dostrzega, że tata mówi do niej. Wytrzeszcza na niego oczy, lecz można się zorientować, że zastanawia się nad jakimś matematycznym problemem.

– Nie wiem, tato – odpowiada i ponownie patrzy w książki. Ojciec spogląda na mnie, jakby przez chwilę czegoś szukał. Nie znam odpowiedzi. Skąd miałbym ją znać... Nie było mnie nawet na świecie, kiedy to się wydarzyło. Ojciec znowu spogląda w głąb kuchni, w kierunku ciemnych okien.

– Hmm, to śmieszne, że pamiętam akurat to – komentuje, rzuca gąbkę do zlewu i wychodzi na przeszklony ganek.

Stoi tam przez dłuższą chwilę, spoglądając na trawnik i klony. Znad stawu u podnóża pagórka dobiega wiosenne cykanie i ćwierkanie. Biorę do ręki plastikowy worek z kawałkiem berlińskiego muru w środku i ustawiam go pod światło. To po prostu bryłka betonu.

– Nie zgub tego – odzywa się moja siostra, nie podnosząc wzroku.

– Jak mógłbym zgubić? – odpowiadam. – Przecież ma etykietę.

Oko jastrzębia

Jest najmłodszą córką kobiety, której prochy spoczywają na siedzeniu obok niej w ciemnozielonej ceramicznej urnie. Fakt, że jest najmłodsza i że wyłącznie na nią spada odpowiedzialność za przewiezienie w porę przez cały kraj, na rodzinny pogrzeb w Green Bay, doczesnych szczątków matki, wpływa pozytywnie na jej samopoczucie. Jest zadowolona, że wreszcie może porozmawiać z nią sam na sam, pędząc poprzez stan Utah, i przemawia do zielonej urny dokładnie takim samym głosem, jakiego używała za życia matka. Mówi głośno, a jej jasne oczy omiatają przeogromne morze soli.

– Nie wiem, mamo... sądziłam, że ten czek był dla mnie. Chcę powiedzieć, że naprawdę tak myślałam. Inaczej nigdy bym go nie zrealizowała. Teraz Sally jest nieźle wkurzona... obrażona, jakbym coś jej ukradła, popełniła jakąś straszną zbrodnię za jej plecami. Czasami staje się gwałtowna. Ty jej takiej nie widziałaś, ale ona tak właśnie postępuje. Nigdy tego nie robiła wobec ciebie, ale ze mną to zupełnie inna historia. Wiesz, myślałam, że powiedziałaś, żebym nie zwlekała i zrealizowała czek. Tak to zrozumiałam. Sądziłam, że kazałaś mi działać i pobrać gotówkę, kiedy będzie po całej sprawie. Nie chodzi o to, że byłaś mi to winna czy coś w tym rodzaju. Nigdy tego nie oczekiwałam. Zwyczajnie sądziłam, że chciałaś, żebym to dostała. Czek po prostu leżał na twoim stole i było jasne jak słońce, że był wystawiony po to, żeby go zrealizować, więc sobie wzięłam. Teraz Sally utrzymuje, że powinnam się z nią podzielić po połowie. Chcę powiedzieć, że to było tylko sto dolarów, a ona zachowuje się jak... Ach, co tam... To bez znaczenia. Nie chcę, żeby to zabrzmiało jak... czasami po prostu nie mogę jej wierzyć. Jakbym była jej najgorszym wrogiem czy coś w tym stylu. Teraz będzie na pogrzebie i kolejny raz będę musiała przez to wszystko przechodzić. Przez całą tę gehennę. Ona nie zrezygnuje. Chodzi mi o to, że z wielką satysfakcją dałabym jej całe sto dolarów, skoro to znaczy dla niej tak wiele. Dałabym. Mam w dupie sto dolców. Szczam na nie. Z wyjątkiem tego, że opłacę ratę za samochód, a ona to właśnie ma na myśli... Uważa, że byłam zdesperowana i po prostu poszłam do banku zrealizować czek bez konsultowania się z nią. To właśnie ją wściekło. Że nie skonsultowałam się z nią. Ona myśli...

Właśnie wtedy dostrzega coś daleko przed sobą, na długiej wstążce pustej drogi; coś trzepoczącego się i unoszącego nisko nad przerywaną linią, rozdzielającą pasy. Jej umysł usiłuje dopasować sylwetkę i ruchy do czegoś znanego: porwanego tekturowego pudła łopoczącego na wietrze; fragmentu czyjejś garderoby; kawałka poszarpanej opony ciężarówki. Zdejmuje nogę z pedału gazu i zrywa wszelki kontakt z umarłą matką i wkurzoną siostrą. Wraca do swojego ciała. Wydaje się jej, że mogą to być pióra; skrzydło zakończone na czerwono unosi się w górę, potem spada w dół, uderzając o powgniatany asfalt. Ogromny ptak! Omal go nie przejechała, naciska hamulce i gwałtownie skręca na pobocze. Gdy zjeżdża, dostrzega świdrujące żółte oko, przestraszone oko przesłonięte krwią, pióra przyklejone do asfaltowej nawierzchni, ogromne skrzydło usiłujące wzbić się w powietrze.

– O mój Boże, to jastrząb! – wykrzykuje. – Przepiękny jastrząb! O mój Boże! Mój Boże, co mam teraz zrobić?

Wyskakuje z auta i zatrzaskuje drzwi, potem podbiega do rannego ptaka przez tuman wapiennego pyłu, który wzburzył jej samochód. Zatrzymuje się nagle i przytula obie dłonie do rozchylonych ust, w geście, jaki sobie przyswoiła, oglądając całymi dniami telewizję. Kaszle z nadmiaru pyłu i zaczyna powtarzać: – O mój Boże! O mój Boże! O mój Boże! – jak gdyby była to mantra, mogąca w jakiś sposób wybawić ją z tej sytuacji. Ogromny jastrząb nieustannie kwili i zadziobuje się na śmierć pośrodku drogi. Kobieta spogląda w jedną i drugą stronę autostrady, lecz w polu widzenia nie dostrzega żadnego samochodu. Gorąco bijące od asfaltowej nawierzchni rozpuszcza kauczukowe podeszwy jej tenisówek, więc zaczyna przeskakiwać z jednej nogi na drugą. Powoli podchodzi bliżej do ptaka, wciąż zakrywając usta obiema dłońmi, i drobi kroczki niczym niemowlę, jakby się obawiała, że wpadnie w głęboką dziurę. Zaczyna przemawiać do ptaka głosem, jakim rozmawiała z lalkami i malowanymi żółwiami.

– Ach, biedna dziecino. Biedne małe stworzonko. Wszystko w porządku. Wszystko w porządku. To straszne, straszne.

Jastrząb przysiada na moment, gładzi pióra na szyi, jak gdyby wyczuł coś kojącego w jej głosie; jak gdyby rzeczywiście słuchał. Rozdarta pierś pulsuje. Żółte oczy mrugają w mechaniczny sposób. Głowa odchyla się do tyłu i ptak ponownie zaczyna szaleńczo miotać się i przeraźliwie piszczeć; krew tryska strumieniami na tle czystego nieba.

Biegnie z powrotem do auta i wyszarpuje z tylnego siedzenia bluzę. Ta bluza pamięta jeszcze szkolne czasy i ma na piersiach niebieski nadruk z napisem «MUSTANGS» oraz dzikim galopującym koniem, którego grzywę i ogon rozwiewa wyimaginowany wiatr znad prerii. Kobieta jeszcze raz spogląda w jedną i drugą stronę szosy, ale nic nie nadjeżdża: widać jedynie dziwaczne stalowe promienniki, sterczące nad solną równiną; samotna mewa podąża na południe. Kobieta przesuwa się w kierunku jastrzębia, trzymając przed sobą bluzę, niczym matador z rezerwą testujący rocznego byka. Nie jest pewna, w jaki sposób zamierza go złapać; czy narzucić bluzę na umierającego ptaka, czy też od razu go schwytać i szybko owinąć. Nie ma żadnego doświadczenia z jastrzębiami. Znowu zaczyna powtarzać: – O mój Boże! – lecz po chwili przestaje, słysząc, jak patetycznie i bezsensownie słowa te brzmią w bezkresnej przestrzeni. Próbuje jeszcze raz lalkowego tonu, ale po chwili również rezygnuje i zapada w milczenie. Cisza przeraża ją do szpiku kości; budzi w niej większą trwogę niż kwilący jastrząb i wiatr zawodzący po bezdrzewnej równinie. Podchodzi bliżej i dostrzega, że ptak ma mocno rozharataną całą lewą stronę. „Musiał go potrącić samochód, kiedy wzlatywał z rowu", myśli sobie. „Dlaczego nikt się nie zatrzymał? Można by sądzić, że ktoś, kto potrąci takiego ptaka, stanie. Tak nieprawdopodobnego ptaka. Przecież to nie to samo, co stuknąć wronę, wróbla czy coś podobnego. To jest jastrząb! I to jaki jastrząb! Ogromny! Zdumiewający! Jakie ma oko!" Nigdy wcześniej nie była tak blisko drapieżnego ptaka.

– Nie mogę w to uwierzyć – szepcze. – Jesteś taki piękny. Jesteś najpiękniejszą rzeczą, jaką widziałam przez całe moje życie. Jesteś przecudnym jastrzębiem. Och, nie rób tego! Nie rób tego! Proszę, nie rób tego! – przemawia do ptaka, kiedy ten wpada w kolejny atak furii, trzepocząc jedynym zdrowym skrzydłem.

Podbiega szybko i próbuje schwycić wielkie skrzydło rękawem bluzy, lecz jastrząb tnie powietrze dziobem, wydając przy tym przeraźliwy syczący odgłos. Kobieta cofa się i czuje nagłe pragnienie, by opaść na kolana i wybuchnąć płaczem. Pragnie rozpłakać się rzewnie. Chce zwinąć się w kłębek i sprawić, że wszystko to zniknie. Zatacza drobne kręgi pośrodku pustej autostrady; podskakuje i uderza się bluzą po udach.

– O Boże! O Boże! O Boże! – krzyczy.

Nikt nie odpowiada. Kobieta milknie. Jastrząb również milknie i tylko spogląda na nią mrugającym żółtym okiem z czarną, zimną jak kamień źrenicą pośrodku. Dziób ma otwarty i ciężko dyszy, kobieta widzi różową krawędź języka. Słyszy, jak uderza on w dno gardła.

– Pozwól się zabrać, dobrze? – prosi łagodnym tonem. – Pozwól, żebym cię owinęła i zabrała stąd. Znajdę kogoś, kto udzieli ci pomocy. Kogoś, kto cię poskłada i wyleczy. Dobrze?

Ptak wciąż spogląda, mrugając okiem. Zdezorientowany, chwieje głową z boku na bok.

– Obiecuję, że nie zrobię ci krzywdy. Obiecuję. Chcę po prostu ciebie ocalić, to wszystko. Nie chcesz być ocalony?

Ptak wydaje teraz inny głos, niższy, skrzeczący dźwięk, potem opuszcza szyję na uszkodzone skrzydło. Noga mu drga, zdrowe skrzydło rozpościera się nad białą linią na drodze niczym egotyczny japoński wachlarz.

– Och, nie umieraj! – mówi kobieta. – Proszę, nie umieraj! Nie zniosłabym tego. Nie chcę, żebyś umierał!

Przyskakuje do ptaka i narzuca na niego bluzę. Jastrząb prawie się nie broni. Obraca głowę, nastroszywszy pióra, i wygina rozdziawiony dziób w stronę jej podbródka. Ponownie słychać syczenie. Kobieta przewraca ptaka i zawiązuje rękawy bluzy na jego piersi. Jej dłonie i przedramiona są utytłane krwią. Krew pachnie dzikością. Większą niż w przypadku ludzkiej krwi; jak rdzewiejące żelazo. Kobieta biegnie do samochodu, trzymając ptaka na wysokości brzucha. Nie wiadomo skąd pojawia się ciężarówka, ale kobieta nie może pomachać ręką, bo upuściłaby ptaka. Obraca się w miejscu, patrząc zrozpaczonym wzrokiem na pojazd zmierzający do Winnemucca. Dostrzega wyraźnie kierowcę. On spogląda prosto na nią z wysokości kabiny. Widzi dziewczynę ściskającą zakrwawioną bluzę i krzyczącą w panice. Kobieta zauważa jasną brodę, niebieskie oczy i czarną narciarską czapkę naciągniętą mocno na uszy.

– Stop! Stop! Proszę, zatrzymaj się! – krzyczy.

Przez chwilę można odnieść wrażenie, że ciężarówka rzeczywiście stanie: przyhamowuje i zaczyna zjeżdżać na pobocze. Szczęki hamulcowe syczą, wzniecają się kłęby dymu. Jedno z tylnych kół się blokuje i sunie z piskiem. Czuć zapach palącej się gumy. Potem, nim jeszcze zdążyła odetchnąć z ulgą, samochód ciężarowy przyspiesza i wjeżdża z powrotem na pas ruchu.

– Czekaj! – krzyczy kobieta, ale kierowca już zmienia biegi; ciężarówka powoli znika w długim obłoku białego pyłu, który mieni się niebiesko i złoto w piekącym słońcu. Jastrząb wali kobietę w brzuch zdrową nogą. Ona wsadza go do samochodu i kładzie delikatnie na tylne siedzenie, sprawdzając supeł zawiązany na jego piersi i ponownie błagając ptaka, żeby wytrzymał i nie umierał; zapewnia, że znajdzie pomoc i wszystko skończy się dobrze. Po prostu zdarzy się jakiś cud.

Kobieta znów jedzie w kierunku Salt Lake, rozmawiając z jastrzębiem takim głosem, jakim przemawiała do swego małego braciszka, kiedy ten wpadał w tarapaty; kiedy zrobił coś, o czym ich ojciec nie powinien wiedzieć. Ptak nie przestaje mrugać. Ona odchyla lusterko tak, żeby widziała jego żółte oko. Jej dłoń sięga sennym ruchem do urny, palce łagodnie pieszczą zimną zieloną ceramikę. Kobieta zaczyna odczuwać dziwny spokój na myśl, że jest teraz w pełni odpowiedzialna za ranne zwierzę i zmarłego człowieka. Odczuwa pewność, że będzie w stanie poradzić sobie z tym wyzwaniem, bez względu na ostateczny rezultat. Włącza radio i nastraja je na kanał ze starymi przebojami: Clyde McPhatter śpiewa *A Lover's Question* wysokim, czystym falsetem. Głos przelewa się przez nią i zdaje się także zbawiennie wpływać na jastrzębia. Kobieta nie może uwierzyć, że ptak siedzi nieruchomo. Nie ma pojęcia, gdzie będzie mogła znaleźć jakąś pomoc dla rannego jastrzębia, lecz mimo to nie martwi się. Panika już ją opuściła. Od czasu do czasu pochyla się nad kierownicą; zerka na lusterko; obserwuje mrugające oko, żeby się upewnić, że ptak jeszcze żyje. Jej myśli znowu biegną ku siostrze, Sally, i kwestii stu dolarów. To powraca jak zły nawyk. Kobieta rozmyśla o Wisconsin i wszystkich krewnych oczekujących tam na prochy matki. Zaczyna dostrzegać ich twarze: ciotki i wujowie, kuzyni, których już nie kojarzy, dzieci, nie wiadomo jak z nią spokrewnione. Przechodzi do wizji pogrzebu; zapłakane twarze, wersety z Biblii, ktoś śpiewa.

Nagle jastrząb dostaje ataku szału, wyrywa się z więzów i piszczy niczym potępieniec. Kobieta obraca się szybko i widzi, że ptak przyciska się do tylnej szyby z obydwoma skrzydłami rozłożonymi na pełną rozpiętość; jest nieruchomy niczym średniowieczny gargulec. Auto zjeżdża gwałtownie na pobocze, potem wjeżdża do rowu, impet zrzuca ciemnozieloną ceramiczną urnę na podłogę. Prochy rozsypują się na deskę rozdzielczą i przednią szybę. Chmura pokrywa tapicerkę. Kobieta wdycha je mimowolnie, kiedy stara się za wszelką cenę zapanować nad kierownicą. Doczesne szczątki matki przenikają jej do płuc. Jastrząb stacza się do przodu, czarne szpony są wysunięte i naprężone, chwytają powietrze i zaplątują się w jej długie, rude włosy. Kobieta krzyczy dokładnie w tej samej tonacji co Clyde McPhatter. Samochód z szarpnięciem zatrzymuje się na piaszczystej wydmie, ale silnik wciąż pracuje. I wciąż jeszcze rozlegają się tony piosenki *A Lover's Question.* Kobieta wyskakuje tyłem z auta, z jastrzębiem wciąż usidlonym w jej włosach. Tłucze w zakrwawione ciało białymi piąstkami, tarza się, jakby chciała ugasić nagły ogień. Drapieżny ptak uwalnia się i wzlatuje w górę, jakby wcale nie był ranny, uderza powietrze oboma skrzydłami, potem szybuje w dół, a po chwili znowu bije skrzydłami i nabiera wysokości. Kobieta, leżąc w piasku, obserwuje odlot ptaka. Radio wciąż gra. Silnik nie przestaje warczeć. Wiatr zawodzi po równinnym, pustym terenie. Kobieta leży przez bardzo długi czas na brzuchu, do chwili gdy odzyskuje równy dech. Jej twarz jest pokryta prochami. Wyczuwa popiół przylepiony do ust, gdy zwilża je językiem. Szczątki matki mają słonawy smak.

Upływają jeszcze trzy dni, zanim kobieta dociera do Green Bay, do tego czasu jastrząb całkowicie zniknął z jej myśli. Ulice przybrano zielonymi i złotymi chorągiewkami. Śnieżne zaspy są ochlapane błotem i olejem napędowym; produkty firm Dairy Queens, Taxidermy, Cheese Factories oraz Packers wystawiono na sprzedaż po bardzo obniżonych cenach. Szuka adresu ciotki Dottie. Pamięta niektóre z tych ulic z czasów, gdy była małą dziewczynką. Pamięta matkę ciągnącą ją i jej siostrę w czerwonym wózku, do którego dodano po obu stronach drewniane listwy, żeby żadna z dziewczynek nie wypadła. Ojca ledwo sobie przypomina. Przesuwa palcami po gładkiej jak jedwab szyjce ciemnozielonej urny i myśli, że to ostatnia chwila, kiedy ma matkę tylko dla siebie. Upewnia się, czy pokrywa jest dobrze dociśnięta. Zdołała zebrać większość prochów, zgarniając je do tenisówki i przesypując ostrożnie z powrotem do urny, lecz drobniutkie płatki doczesnych szczątków jej matki wciąż są przylepione do maty podłogowej i tablicy rozdzielczej, a część z nich z pewnością uleciała na zawsze nad bezmiary białej pustyni Utah. „Nigdy się o tym nie dowiedzą – myśli sobie. – Nie dowiedzą się nigdy, że nie ma jej tu całej." Zauważa dom ciotki i skręca w wąski podjazd, stwierdzając w duchu, że wszystko wydaje się dużo mniejsze niż to, co zachowała w pamięci. Z jakiegoś powodu jej serce ostro przyspiesza, jakby miała poczucie winy. Jej siostra Sally tam jest, stoi tuż obok ganku, jakby spodziewała się jej w każdej chwili. Nie ma nikogo innego, tylko Sally. Kobieta wyłącza silnik, obiema dłońmi sięga po ciemnozieloną urnę, chwyta ją za smukłą szyjkę; modli się, żeby jej nie upuścić. Sally otwiera drzwi auta i bierze urnę od siostry, czując nagły ciężar matki pomiędzy nimi. Siostry uśmiechają się do siebie.

– Przywiozłaś moje sto dolców? – pyta Sally.

Betty i jej koty

A zatem, Betty, w jaki sposób zamierzamy zaradzić tej sytuacji?

O co chodzi?

O koty, Betty

To nie mój problem.

To jest nasz problem, Betty. Oni mają zamiar ponownie skonfiskować twoją przyczepę kempingową, jeśli czegoś z tym nie zrobisz.

Nie mogą skonfiskować mojej przyczepy.

Raz już to zrobili.

Cóż, drugi raz nie zrobią.

Betty... Przysłali ci pisemne ostrzeżenie. Jeśli nie pozbędziesz się tych kotów, zabiorą ci przyczepę. To proste. Nie chcę patrzeć na to kolejny raz. Gdzie się podziejesz, Betty?

Coś sobie znajdę.

Pragnę ci pomóc, Betty, ale potrzebna mi jest koniecznie współpraca z twojej strony.

Nie musisz mi pomagać.

Chcę pomóc.

To nie jest mój główny problem. Powiem ci, z czym mam największy kłopot.

A jaki jest twój problem, Betty?

Wydział Zdrowia. To mój kłopot.

Oni wykonują po prostu swoją pracę. Otrzymują skargi z powodu fetoru. Muszą pojechać na miejsce.

Nie muszą przyjeżdżać.

To część ich obowiązków. Muszą reagować na takie skargi jak ta. Byłem tam któregoś dnia razem z Lois; gdy tylko wysiadła z auta, zapytała: „Co to za fetor?" Odpowiedziałem jej: „To koty Betty."

Lois?

Tak właśnie powiedziała. W chwili kiedy wysiadła z samochodu.

Lois tam była?

Przyjechała ze mną.

Lois nienawidzi tych kotów.

To nieprawda, Betty.

Ona nienawidzi moich kotów.

To nieprawda. Po prostu poczuła fetor, to wszystko.

Czy ty też go czujesz?

Każdy czuje.

Koty już takie są.

Wiem, że koty już takie są. O tym właśnie mówię. Ale co zamierzamy zrobić z tym problemem?

No cóż, nie pozbędę się ich.

W takim razie musimy tam posprzątać. W tym tkwi przyczyna problemu. Zamierzam tam pojechać i pomóc ci, Betty, ale musisz być przy tym. Chodzi mi o to, że kiedy sprzątałem ostatnim razem, szary kot chodził za mną i załatwiał się tuż za moimi plecami. To nie jest w porządku, Betty.

Świerszcz?

Ten szary. Nie wiem, jak ma na imię. Jest prawie bez włosów.

To Świerszcz.

Co się stało z jego włosami?

Taki się urodził.

Czy z nim jest coś nie tak?

Ze Świerszczem wszystko w porządku.

Jeśli coś mu dolega, powinnaś się go pozbyć.

Wszystko jest z nim w porządku.

Cóż, nigdy nie widziałem kota bez włosów.

Taki się po prostu urodził.

Niech ci będzie, ale musimy coś z tym zrobić, Betty.

Robię z tym coś.

Nie robisz, Betty. Wysyłają ci nieustannie ostrzeżenia i upomnienia i nic się nie dzieje.

Mam inne problemy.

Jakie inne problemy?

Przyczepa nie jest wypoziomowana. Potrzebuję sześciu stempli.

Stempli?

Metalowych stempli, żeby podnieść przyczepę i wypoziomować ją. Potrzebuję sześciu.

Nie mam pojęcia o domach na kółkach. Nigdy takiego nie miałem...

Tego właśnie potrzebuję. Ktoś musi wczołgać się pod spód i ustawić stemple. Nie dam rady zrobić tego sama.

Może postaram się kogoś znaleźć w bazie przyczep kempingowych.

Nie dam rady tego zrobić. Potrzeba dwojga.

Jestem pewien, że uda się kogoś znaleźć, kto ci w tym pomoże, ale nie to stanowi istotę sprawy.

To jest istota sprawy.

Nie, Betty, nie jest.

Wobec tego co?

Koty, Betty!

Nie mogę mieszkać w krzywo ustawionej przyczepie. Wszystko w niej spada.

Co mamy zamiar zrobić z kotami?!

Nie zamknę ich. Z całą pewnością.

One nie mogą chodzić swobodnie po całej przyczepie.

Dlaczego nie?

Ponieważ nie jesteś w stanie zapanować nad nimi! Załatwiają się wszędzie, gdzie im się podoba.

Nie chcę ich kontrolować.

W takim razie będziesz musiała się ich pozbyć.

Wcale nie zamierzam się ich pozbyć.

Wobec tego oni znowu przyjadą i odbiorą ci przyczepę. Tym się to skończy.

Pozwól im to zrobić.

Co wtedy poczniesz? Gdzie się podziejesz?

Coś znajdę.

Ja i Lois nie możemy cię przyjąć. Po prostu nie ma miejsca.

Nie zamierzam mieszkać z Lois.

Przestań, Betty, ona bardzo ci pomogła. Wiesz o tym.

Kiedy?

Była tam ze mną i robiła to, co ja.

Co to było?

Sprzątanie, Betty. Sprzątanie po twoich kotach. Wysprzątała dla ciebie całe wnętrze. Wstawiła przepierzenie z płyty za kuchenką. Specjalnie przycięła tę płytę ze sklejki, dzięki czemu wszystkie koty były oddzielone, a pierwszą rzeczą, jaką ty zrobiłaś po powrocie, było wyjęcie przepierzenia.

Nie mogą żyć w taki sposób, złapane w pułapkę w kuchni.

Nie były w pułapce. Miały dużo miejsca.

Były w pułapce. Lois nienawidzi tych kotów.

Och, Betty...

Co?

Albo zrobisz to, albo się ich pozbędziesz.

Nie pozbędę się ich.

A możesz pozbyć się niektórych?

Których?

Tego szarego, dajmy na to.

Świerszcza?

Tak. Świerszcza. Tego bez włosów.

Nie lubisz Świerszcza, prawda?

Nie w tym rzecz, czy go lubię, czy...

On taki się urodził.

Wiem, że taki się urodził!

Nie możesz go za to obwiniać.

Nie obwiniam go.

Powiedziałeś, żeby się go pozbyć.

Powiedziałem tylko... że jeśli miałabyś zamiar pozbyć się kilku z nich, mogłabyś zacząć od niego, bo nie ma włosów.

Wszystko z nim jest w porządku. Jest po prostu inny.

Coś mu jednak jest. To nienaturalne, żeby kot nie miał włosów.

Nigdy nie miał włosów.

Czy to świerzb, czy coś innego?

Świerzb jest wtedy, kiedy włosy wypadają. On nigdy nie miał nawet włoska, który by mógł wypaść.

Nie jest zdrowo trzymać takiego kota jak ten.

Nie mam zamiaru pozbyć się Świerszcza.

Dobrze, może w takim razie któryś z pozostałych, ten rudy.

Który rudy?

Ten z zabawnym paskiem na pyszczku.

Borsuk?

Tak ma na imię? Nie wiem.

Borsuk jest ojcem.

Powinnaś przynajmniej oddać go do kastracji.

Borsuka nie mam zamiaru kastrować. Jest ojcem.

Wobec tego, Betty, będziesz miała coraz więcej miotów.

Nie mogę powstrzymać ich od rozmnażania, jeśli mają na to ochotę.

Temu właśnie służy kastracja.

Co?

Powstrzyma je od wydawania potomstwa.

Nie robię takich rzeczy.

W porządku. Nie wiem...

Czego?

Nie wiem, co zamierzamy zrobić.

Nie ma nic do zrobienia.

Próbowałem ci pomóc. Próbowaliśmy oboje z Lois.

Nie możesz mi pomóc.

Nie możemy ci pomóc, jeśli ty sama sobie nie pomożesz.

To prawda. Nikt nie jest w stanie mi pomóc.

Co zatem zamierzamy zrobić, Betty?

Nic.

Chcesz po prostu im pozwolić, by znowu odebrali ci przyczepę?

Mogą ją sobie zabrać. W końcu to tylko kupa gówna. Nigdy nie trzymała poziomu.

No cóż, więc taki jest twój wybór.

Nie przypominam sobie, żeby kiedykolwiek była wypoziomowana. To zawsze była kupa gówna.

Kiedy się do niej wprowadziłaś, była ustawiona poziomo. I czysta. To, jak wygląda, zawdzięcza kotom.

Chyba tak.

Wiesz, że to prawda.

Tak. Wiem.

To cóż w takim razie zamierzamy z tym zrobić, Betty?

Nic. Nie ma nic do zrobienia.

Drzwi do kobiet

Do tego czasu ostatnia z kobiet wyniosła się z domu – niektóre z powodu zdrady, większość dlatego, że je zaniedbywano. Pozostali tylko chłopiec i jego dziadek. Ta sytuacja im odpowiadała. Mieli spokój.

Chłopiec obcinał staremu człowiekowi paznokcie u nóg, posługując się nożyczkami należącymi do akcesoriów szwajcarskiego scyzoryka. Kruche kawałki żółtych paznokci przelatywały nad głową chłopca i lądowały na parkietowej podłodze maleńkiego salonu. Dziadek siedział w swoim ulubionym dębowym fotelu w stylu misyjnym z wygodnie rozłożonym na kolanach egzemplarzem wyścigowego informatora „Daily Racing Form", obok niego w popielniczce żarzył się pall mall. Pstrykanie zrzynków paznokci spadających na wyfroterowaną podłogę, kwilenie samotnego drozda za oknem oraz charczący oddech starego człowieka były jedynymi odgłosami, jakie dały się słyszeć. Chłopiec pracował metodycznie, starając się nie przycinać paznokci zbyt krótko w kącikach. Popełnił ten błąd jakiś czas wcześniej i dziadek przez tydzień kulał, musiał długo moczyć urażone miejsce w gorzkiej soli i jabłkowym occie. Dziadek nawet się nie poskarżył, lecz chłopiec musiał znosić długie dni bez jednego choćby słowa, kiedy stary człowiek zdawał się coraz bardziej i bardziej zamykać w sobie, aż wreszcie któregoś ranka nieoczekiwanie zerwał się z fotela, poszedł boso aż do Russian River i zanurzył się w niej po piersi. Po tej kąpieli palce nóg wydobrzały, on sam zaś znowu zaczął mówić w typowy dla siebie, pełen przypływów entuzjazmu sposób. Teraz odzyskał już pełną sprawność. Palce u nóg różowią się niczym zdrowe, dorodne dżdżownice. Sięga po czerwony długopis i zakreśla imię konia, którego najbardziej lubi w stawce ósmej gonitwy – „Monkish", brązowy wałach dowożony z Pomony. W pustych rubrykach obok imienia dopisuje „zmniejsza dystans... zbliża się... na ostatnich metrach zdołał wyprzedzić o 1 i 1/8 długości". Nakłada zatyczkę i chowa długopis z powrotem do kieszeni, potem sięga po pall malle. „Właśnie tak powinno to wyglądać", dywaguje w myślach, wtulając kręgosłup w twarde oparcie fotela; zawsze marzył, że tak to będzie. Nie ma rozdźwięku między jego wyobrażeniami a rzeczywistością. Miękkim głosem zwraca się chłopca, klęczącego u jego kościstych stóp.

– W ostatnim tygodniu... kiedy to było? Który to był tydzień, kiedy po raz ostatni byliśmy na kolacji po drugiej stronie rzeki? Pamiętasz... już zapadał zmierzch, jak mi się wydaje?

– Chodzi ci o kolację w „Gospodzie"? – odpowiada chłopiec, kontynuując swoje zajęcie.

– O właśnie! „Gospoda". Taka prosta nazwa. Chyba powinienem zapamiętywać coś tak prostego jak to.

– Tak... „Gospoda". Tej nazwy używają.

– Dają tam dobre jedzenie, jeśli dobrze pamiętam. Chrupiącą kaczkę. Co to jest? Jakaś chińska potrawa o nazwie „chrupiąca kaczka"?

– Lubisz to. Zawsze to zamawiasz.

– Ty jak zwykle jadłeś zapiekankę z tuńczykiem.

– Jadłem? – pyta chłopiec.

– Nie zaczynaj znowu wmawiać mi, że mam słabą pamięć. Nie musimy zawsze grać w to samo.

– Tak, przypominam sobie. Zawsze zamawiam zapiekankę z tuńczykiem.

– Tu cię mam... Była tam też dziewczyna. Robiła wrażenie, że ciebie zna. Co to za dziewczyna?

– Jaka dziewczyna, dziadku?

– No, ta dziewczyna! Z czarnymi włosami. I zachwycającymi oczami! Obsługiwała nas.

– Tak...

– Wiesz, kogo mam na myśli. Nie udawaj głupka.

– No tak. Widywałem ją wcześniej. Ona często zachodzi do składu z paszą.

– Hmm, naprawdę. Zatem znasz ją?

– Tylko ze składu z paszą.

– Można było odnieść wrażenie, że bardzo cię lubi. Zauważyłeś to?

– Prawdę powiedziawszy, nie – stwierdza chłopiec i opuszcza niżej brodę, biorąc na warsztat długi palec środkowy o łopatkowatym kształcie.

– Trzeba zauważać takie rzeczy; to ważne. Nie pozwól, by tego typu sprawy przeciekały ci między palcami. Coś takiego może zmienić całe twoje życie. Chwila taka jak ta.

– Chwila jak co?

– Jak to, że się jej spodobałeś! Chodziła wokół naszego stołu, dolewając nam wody, chociaż szklanki były jeszcze pełne. Nie mogła oderwać od ciebie oczu.

– No, nie wiem.

– Nie zauważyłeś, że ciągle kręciła się w pobliżu?

– Była naszą kelnerką. Powinna kręcić się w pobliżu.

– Ale nie wtedy, kiedy nasze szklanki były pełne! Wcale nie musiała kręcić się wokół.

– No cóż, nie zauważyłem tego – stwierdza chłopiec, zamykając temat, z nadzieją na zmianę przedmiotu rozmowy. Następuje słodka przerwa, podczas której słychać gołębia trzepoczącego się w przydrożnym pyle oraz szum zraszaczy nawadniających dalekie pastwisko.

– Wiesz, jak ma na imię? – pyta łagodnie dziadek.

– Nie... Chyba jakieś meksykańskie... Coś, co brzmi jak „Mina".

– Mina?

– Coś tym rodzaju. Ona przychodzi do składu po paszę dla swoich kóz.

– Hoduje kozy? Taka dziewczyna?

– Tak, co w tym złego? – odpowiada chłopiec, nie rozumiejąc uczucia, które nagle w nim narasta i każe mu wziąć dziewczynę w obronę.

– Nic. Nie ma w tym nic złego. Lubię dziewczyny, które potrafią dbać o żywy inwentarz.

– Zmiatam owsiane plewy oraz resztki lucerny po sprasowanych belach i oddaję to jej, wsypując do pustych worków na paszę. Za darmo.

– A zatem wyświadczasz jej przysługę.

– No cóż, raz na jakiś czas.

– Ta dziewczyna jest śliczna. Nigdy nie widziałem takich oczu. Powiedziałbym, że są nad wiek dojrzałe.

– Nie wiem, ile ona ma lat.

– Trudno ocenić w przypadku takiej dziewczyny. Chyba bliżej jej do kobiety.

– Nie wiem – mamrocze chłopiec.

– Po co trzyma kozy? Przecież jest kelnerką, prawda?

– Przypuszczalnie ma więcej niż jedną pracę.

– Po co więc hoduje kozy?

– Nie wiem. Może należą do jej rodziców. Chyba pochodzi z licznej rodziny. Kiedy przychodzi, nigdy nic nie mówi. Po prostu stoi i patrzy, kiedy zamiatam.

– Lubi cię.

– Nie wiem.

– Oczywiście, że cię lubi. Jak myślisz, na co ona patrzy? Na miotłę?

– Mimo to nie wiem, czy mnie lubi. Tylko dlatego, że patrzy.

– Wierz mi, ona cię lubi. W tym wieku powinieneś móc to rozpoznać. Jesteś na tyle dorosły.

Chłopiec powraca do ostatniego paznokcia lewej stopy starego człowieka. Małego palca, najbardziej paskudnego, który zawsze zostawia na sam koniec. Paznokieć sterczy ostro jak mały ząb rekina, a on nigdy nie wie, pod jakim kątem go uchwycić. Obawia się, że jakimś sposobem paznokieć podskoczy i ugryzie go w dłoń. Dziadek długo i z rozkoszą zaciąga się papierosem i bardzo powoli wypuszcza dym przez włochate nozdrza oraz ciemne kąciki ust. Spogląda na ciemię jasnowłosej głowy wnuka. Podziwia kształt jego czaszki, jej idealny łuk, i w duchu gratuluje sobie, że chłopiec ma tak bardzo męskich przodków. „To jasne, że kobiety szaleją na jego punkcie. Jak mogłyby się oprzeć!"

– Tak sobie myślę... – odzywa się stary człowiek, potem odchrząkuje i spogląda z ukosa na ostatnie cięcie małych srebrnych nożyczek. – Tak sobie myślę, że upłynęło już sporo czasu, odkąd po tym domu krzątała się jakaś kobieta.

Chłopiec kończy zajęcie i zdmuchuje resztki obrzynków z sędziwych palców. Jego wzrok koncentruje się na dobrej robocie, jaką wykonał. Wstaje powoli, zamyka scyzoryk i chowa go z powrotem do kieszeni.

– Chodzi mi o moment, kiedy twoja matka ostatecznie zabrała swoje manatki. Odeszła jako ostatnia, prawda? Po tym, jak poszły sobie twoje dwie siostry. Kiedy to było?

– Nie wiem – odpowiada chłopiec ze wzrokiem wciąż skierowanym na palce nóg dziadka.

– Co najmniej rok lub więcej. Musiało tak być.

– Możliwe. Nie pamiętam.

– Co najmniej rok. Pamiętam, że panowały wtedy przeraźliwe upały. Połowa sierpnia. To musiało być wtedy.

– Mogło być.

– Skończyliśmy grabić migdały. Tyle pamiętam. Wszyscy Meksykanie dostali zarobione pieniądze. Była ich spora grupa. Prosto z Sonory.

– Chyba tak.

– Skończyła wtedy z tolerowaniem brzydkich szwindli twojego starego. Przypominasz sobie? Nie chcę powiedzieć, że nie zasłużył sobie na to.

– Kto, mama?

– Tak. Nie pamiętasz tego? Przecież to był przebój!

Dziadek zaczyna chichotać i ponownie odchrząkuje.

– To przepełniło miarę! Tuż po niewielkim potopie, jaki mieliśmy w suterenie. Padało bez przerwy przez pięć dni. Pamiętasz? Rzeka wezbrała na tyle, że musieli zamknąć stary most. Wszystkie rzeczy twojego ojca pływały w suterenie w głębokiej na dwie stopy zielonej brei.

– Ach tak.

– Udało nam się wypompować to dziadostwo do zbiornika ściekowego, ale wszystkie jego rzeczy walały się po podłodze, łapiąc przy okazji pleśń. Wyglądało to jak po katastrofie. Odzież rozłaziła się w dłoniach jak rozpadające się szczątki. Jego strój wędkarski, stare skórzane kurtki oraz indiańskie koce pod siodło – wszystko cuchnęło i butwiało. Musiało tam leżeć dobre trzy miesiące, po prostu pleśniejąc i gnijąc.

– Racja. Przypominam sobie ten odór. Wystarczyło otworzyć drzwi, żeby fetor uderzył w twarz.

– No właśnie. Jednak twoja matka – niech jej serce będzie błogosławione – pewnego dnia wpadła na pomysł, by cały ten bałagan wygarnąć szuflą od śniegu i powrzucać do kartonowych pudeł. Pomogła jej któraś z przyjaciółek – ta Kitty czy jak jej tam; pracowała u Kmarta przy autostradzie. Przyszła tu i pomogła. To ona przyniosła pudła. We dwie nieźle się nawaliły tanią wódką i tonikiem Kool-Aid, kiwały durnowatymi głowami i puszczały głośną muzykę. Potem pojawiła się ogromna ciężarówka firmy przeprowadzkowej, z wymalowanym po bokach wielkim zielonym żaglowcem „Mayflower". Przypominasz to sobie?

– Chyba tak.

– W każdym razie twoja matka wysłała cały ten kram do Arizony, gdzie on żył na kocią łapę ze swoją nową dziewczyną, przesyłką płatną przy odbiorze.

– Kto, tata?

– Uhu, „tata". Twój ojciec. Gdzieś w Arizonie. Zapomniałem gdzie. – Stary człowiek zaczyna jednocześnie rechotać i sucho kaszleć. Strzepuje pall malla, ale popiół nie trafia i ląduje na podłodze. – Dałbym pięćdziesiąt dolarów, żeby móc zobaczyć minę, jaką zrobił, kiedy ciężarówka z firmy przewozowej pojawiła się przed jego drzwiami! Był zapewne przekonany, że związek z nową kobietą ujdzie mu całkiem na sucho.

– Musiałem być w szkole. Nie pamiętam nic z tego.

– Gigantyczna ciężarówka z żaglowcem „Mayflower"; zatarasowała niemal całą pieprzoną jezdnię. I twoja matka machająca zapamiętale szuflą. Spędziła na dole całe godziny. Ona i ta Kitty układały sterty rzeczy, rozrzucały wszystko dokoła. Nigdy nie widziałem, żeby pracowała tak ciężko. I do tego śpiewała! Do wtóru z tą drugą. Śpiewały z takim zapałem, jakby to były ostatki czy coś podobnego. Wszystkie graty, które prawdopodobnie zbierał przez całe życie. Stare fotografie bydła, magazyny kolejowe, wypaczone gitary, koniarskie trofea – wszystko było całkowicie zniszczone i wypaczone. Patrzyłem na to z okna kuchni. Widziałem stamtąd całe to fandango. Nie zdawały sobie sprawy, że je obserwowałem. Ludzie z firmy przeprowadzkowej ładowali cały ten kram, pudło po pudle, na ciężarówkę. Nie mogli uwierzyć, że chce wysłać to gówno przez pół Ameryki. Przypominam sobie, jak ładowali jego stary dywan ze skóry bizona. Musiał chyba ważyć tyle co całe zwierzę; wszystko ociekało deszczową wodą i pachniało Dzikim Zachodem. – Stary człowiek śmieje się i rozstawia palce z dopiero co obciętymi paznokciami. Spogląda na nie w dół, sprawdzając, czy są równo przycięte. – Twoja matka miała przynajmniej poczucie humoru. Chociaż to jedno można o niej powiedzieć.

Chłopiec milczy. Obraca powoli głowę w kierunku małego okna z wykuszem i przygląda się lśniącej magnolii. Widzi rój pszczół tłoczących się przy słodkich, rozwiniętych kwiatach. Dziadek patrzy teraz na niego i czuje nagle, że nie jest pewien; mdlące uczucie narasta w trzewiach. Przypomina mu nudności odczuwane przy minionych stratach; kiedy zostawał sam. Odchodzące kobiety. On opuszczający kobiety. Parada piękności. Wszystko to przeminęło. Dzięki Bogu, że ma to już za sobą. Pragnął ponad wszystko chronić wnuka przed tego rodzaju pustką. Jest zbyt młody, by miało go to spotkać. Odzywa się do chłopca z nowym wigorem, starając się, by jego głos brzmiał rześko. – W każdym razie rozważałem... czy nie moglibyśmy skorzystać z pomocy tu w obejściu. No wiesz, mycie naczyń, podłóg, może trochę odkurzania. Dom nie był sprzątany od dobrych kilku miesięcy, o ile się nie mylę.

– Odkurzałem tydzień temu – oznajmia chłopiec, zmierzając ku szafie w holu, i wraca z miotłą i szufelką, po czym zaczyna zmiatać ścinki paznokci wokół stóp starego człowieka.

– Naprawdę?

– Tak. Starłem kurze ze wszystkich regałów z książkami oraz z gzymsu.

– Raczej nie powinieneś tego robić. Nie masz tyle czasu, by pogodzić to z obowiązkami i ze wszystkim.

– Jakoś sobie radzę.

– Chodzi mi o to, że nie wracasz do domu przed kolacją, a do tego czasu jesteś już wyczerpany ładowaniem siana i worków z paszą.

– Nie narzekam.

– Nie, nie powinieneś brać się do tego typu roboty. Prace domowe. To nie dla ciebie. Poza tym odczuwam brak kobiecej ręki w naszym domostwie. A ty nie?

– Co to jest kobieca ręka?

– No wiesz... wszystkie te drobne niuanse. Utrzymywanie rzeczy w czystości. Zmysł organizacyjny. Rozmaite zapachy.

– Zapachy?

– Specyficzna atmosfera. Nie potrafię tego wyjaśnić. Specyficzny rodzaj hałasu. Ostatnio stwierdziłem, że tego tutaj brakuje. – Chłopiec przystaje naprzeciw niego ze szczotką i szufelką. Wałeczek strąconego popiołu przyciąga jego uwagę; chłopak patrzy, jak toczy się powoli tam i z powrotem między skórzastymi stopami starego człowieka. Nie może uwierzyć, że go ominął. Brzegiem miotły nagarnia go na szufelkę. – Tęsknisz za matką? – pyta starzec prosto z mostu. Chłopiec odczuwa zdziwienie z powodu elektrycznego impulsu, jaki przeszedł mu przez czubek głowy w chwili, gdy padło to pytanie. Ma wrażenie, że cały świat wokół niego się zatrzymał.

– Nie – odpowiada.

– Nigdy o niej nie myślałeś?

– Nie.

– Cóż, w każdym razie sądzę, że nie jest głupim pomysłem zapytać tę dziewczynę, czy nie chciałaby zarobić trochę gotówki. Dziewczyna taka jak ona mogłaby się naprawdę przydać w naszym obejściu.

– Jaka dziewczyna? – chłopiec pyta jak w transie, mając przed oczyma rude włosy matki.

– Ta kelnerka! Ta, o której rozmawialiśmy.

– Nie mogę jej pytać o takie rzeczy.

– W takim razie ja ją zapytam. Pójdziemy tam dziś wieczorem i zapytam ją.

– Dziś wieczorem?

– Uhmm. Dlaczego nie? Pójdziemy na kolację do „Gospody". Tak jak ostatnim razem. Ja zamówię chrupiącą kaczkę, ty zaś zjesz swoją zapiekankę z tuńczykiem. Wtedy ją zapytamy. O której dzisiaj kończysz?

– O tej porze co zwykle.

– Przyjdź prosto do domu. Weźmiemy prysznic i wystroimy się. Potem pójdziemy na kolację nad rzekę. Lubię spacery.

– W porządku – chłopiec zgadza się bez entuzjazmu.
– Tylko nie zapomnij. I nie guzdraj się.

Rzeka przebija się przez serce miasta. Kiedy chłopiec idzie do pracy w składzie z paszą, przygląda się, jak woda sunie powoli szerokimi, zielonymi smugami. Rozmyśla o Minie. Zna dobrze jej imię. Wymawia je na głos z uśmiechem. To słowo sprawia, że się śmieje. Brzmienie jej imienia zmusza go do lekkiego truchtu, po drodze kopie zdeptaną puszkę po piwie, posyłając ją długim łukiem na kamienisty brzeg. Nie może uwierzyć, jak sama myśl o niej zmienia jego oddech. Rusza biegiem w stronę Misji, mijając sklep z siodłami, potem pitbulla, który zawsze za nim goni, by na koniec tchórzliwie wrócić ze skowytem, gdy ścigany nagle zatrzymuje się i odwraca. Napawając się swoją władzą nad psami, chłopiec biegnie dalej. Czuje wąską talię Miny, żebra pod cienką bawełnianą sukienką; plecy spływające strużkami gorącego potu, kiedy dotyka jej piersi. Odczuwa smak szyi dziewczyny, czuje głębokie drżenie w jej piersiach, kiedy Mina przyciąga go do siebie i obejmuje uniesionymi wysoko nogami, szepcząc do ucha hiszpańskie słowa.

Cudzoziemcy

Sufit jest bladoniebieskawy jak niebo. Ma w sobie taki jakiś specyficzny połysk. Muchy na nim nie siądą, to pewne. Obserwowałem je. Nigdzie nie widziałem, żeby choć jedna się odważyła. Są uczulone – w tym tkwi przyczyna. Nie inaczej. Coś w tej farbie. Ściany boczne w szablonowej bieli z minimalnym dodatkiem koloru brzoskwini. Tylko kilka kropel. W południe to daje nieco ciepła. Naprawdę. Takiego subtelnego. Siedzenia są całe zielone, jakich się używa na chłodniejszych terenach, krzaki ze wszystkich stron. Podłoga na zewnątrz jest ciemnobrązowa – im brudniejsza, tym lepiej. Całość powinna przypominać piknik. To pobudza apetyt i najwyraźniej sprawia ludziom frajdę. Tym sposobem można sprzedać mnóstwo placków z nadzieniem. Całe mnóstwo placków. A przy okazji też świecidełek. Srebro i co tam jeszcze. Turkusy i bibeloty. I handel popielniczkami w formie małych sombrero. Dużo się ich sprzedało. Były czasy, kiedy z moją starą jeździliśmy żółtym coupe de ville do Gallop i z powrotem. Nie myślcie sobie nic, podróż jak podróż. Nachodzi nas ochota i jedziemy. Wracamy z towarem, jak jest tani. Ładujemy ten indiański kram, ciągniemy go z powrotem tutaj i potem sprzedajemy w kawiarni. Żadne prawo tego nie zabrania. Sprzedajemy prosto z lady, razem z lukrowanymi pączkami i gumą do żucia. Ludzie zatrzymują się przy kasie, czekając na zapłacenie rachunku, a ich wzrok przyciągają indiańskie gadżety. Zwłaszcza tych ze Wschodu. Nigdy nie widzieli czegoś podobnego. Srebrne pasy concho oraz wojenne pióropusze i temu podobne. Można tanio dostać te rzeczy. Kręcą się tu obładowani tym kramem, który kosztował ich dziesięć razy tyle co posiłek. Mieli z tego sporo uciechy. Do coupe de ville doczepialiśmy na hol czterokonną przyczepę, obudowaną po bokach deskami, i mówię wam, ładowaliśmy ją po same brzegi. Pokonywaliśmy ponad czterysta tysięcy mil w tym coupé, tam i z powrotem do Gallop. Ja i moja stara. Jasne, że zaglądaliśmy też do innych miejsc. Skoki w bok. Jeździliśmy przecież do Ludlow w Kalifornii, a raz nawet na Dni Muła. To było coś. Biwakowaliśmy pod gołym niebem, z gwiazdami nad głową. Nigdy ich tyle nie widziałem. Pustynia sprawia, że robi się ich więcej. Raz pojechaliśmy też do Santa Fe, ale to całkiem co innego. Coś wam powiem – urodziłem się i wychowałem w okolicach Las Cruces, niedaleko regionu Staked Planes, kiedy jednak ja i moja stara pojechaliśmy tam do Santa Fe, pierwszy raz w życiu poczułem się jak cudzoziemiec. Mogę was zapewnić, że nigdy nie byłem w Europie czy po drugiej stronie oceanu, lecz wtedy po raz pierwszy poczułem, że nie należę do tego miejsca. Uczucie to wcale mi się nie podobało. Ja i moja stara byliśmy bardzo zadowoleni, kiedy wróciliśmy potem do kawiarni. Prawda jest taka, że wolałbym zostawać w domu. Ruszanie tyłka z miejsca w ogóle się nie opłaca. Nie ma co mówić o targowaniu się. Wygląda na to, że ktoś już wyznaczył ceny.

Szyld prosto z życia

Nad malowanymi, buchającymi parą skrzydełkami znajduje się tekturowy szyld z dopisanym odręcznie napisem: ŻYCIE JEST TYM, CO SIĘ NAM PRZYDARZA, KIEDY PLANUJEMY COŚ INNEGO. Obryzgany szyld obraca się powoli w promieniach pomarańczowych lamp grzejnych. Z ukrytych głośników dobiega stonowana, lecz jękliwa muzyka o apokaliptycznym brzmieniu. Za ladą czai się chuderlawy, o anemicznym wyglądzie dzieciak w czapce mocno wciągniętej na czoło i z różowymi, zaokrąglonymi, sterczącymi uszami. W każdym uchu dźwiga więcej kolczykowych kółek niż karnisz, można odnieść wrażenie, że zostały założone za pomocą przyrządu do kolczykowania bydła. Na jego czapce z przodu widnieje napis SKRZYDEŁKA; SKRZYDEŁKA w kolorze białym. Chudy dzieciak zmaga się jednocześnie z klawiaturą komputera i z telefonem, stukając zawzięcie w małe, rozklekotane brązowe klawisze i dociskając ramieniem słuchawkę telefonu. Drugi telefon z zamówieniem zaczyna dzwonić tuż za nim, a młoda dziewczyna w takiej samej czapce na głowie pochyla się nad chudzielcem i strąca telefon na podłogę.

– Cholera! – klnie i schyla się po aparat; podnosi go i przykłada do ucha. W słuchawce słychać tylko buczący sygnał przerwanego połączenia. Rzuca nią z trzaskiem. – Czym mogę służyć? – zwraca się do mnie.

– Chciałbym zamówić dziesięć skrzydełek dla jednej osoby.
– Jaki sos do tego?
– Co macie w ofercie?

Dziewczyna spogląda na mnie wzrokiem pełnym rozpaczy, jakby była zbyt zajęta, by zajmować się kimś, kto nie zna procedury. – Wszystko jest wypisane u góry, na szyldzie, w małym żółtym kwadracie – oznajmia. – Łagodny, średnio pikantny i pikantny pikantny.

– Pikantny pikantny? – dziwię się.
– Tak. Podwójnie pikantny.
– Wezmę średnio pikantny.
– Dobrze – odpowiada, potem szybko zapisuje zamówienie i podaje je dwóm jeszcze bardziej chudym gościom w czarnych czapkach i długich czarnych fartuchach, zajmującym się koszami do smażenia w głębokim oleju.
– Kto napisał ten szyld? – pytam dziewczynę.
– Słucham?
– Kto napisał ten szyld, wiszący tam, nad kurczakiem?
– Nie mam pojęcia – odpowiada, jeszcze bardziej wkurzona faktem, że zabieram jej czas czymś, co nie leży w zakresie jej obowiązków.
– Chciałbym się z nim spotkać.
– Z kim? – pyta z niedowierzaniem.
– Z tym, kto napisał ten szyld.
– N i e w i e m, kto napisał szyld – wyjękuje.
– Czy ktoś tu wie?

Dziewczyna obraca potężne biodra w kierunku dwójki zajętych smażeniem kucharzy, machając końskim ogonem przed moim nosem. – Czy ktoś wie, kto napisał ten szyld? Ten facet chce się dowiedzieć.

– Co? – obaj kucharze przy koszach odzywają się niemal równocześnie, obracając przy tym moje skrzydełka w skwierczącym oleju i posypując cały ten bajzel z ogromnej srebrnej solniczki i pieprzniczki.
– Kto napisał szyld, który wisi? Ten facet chce wiedzieć.

– Nie ja – odzywa się jeden z nich, wrzucając moje tłuste skrzydełka do białej papierowej torebki, gdy drugi w tym czasie polewa je szczodrze czerwoną, gęstą breją. Dziewczyna obraca się na pięcie w moją stronę.

– Co do picia? – pyta.

– Cola – odpowiadam. – Mała cola.

– Może być pepsi?

– To wszystko, co macie?

– To wszystko, co mamy.

– Wezmę – odpowiadam, a ona stawia pusty kubek przede mną na ladzie i przesuwa pojemnik z czerwonymi skrzydełkami.

– Razem będzie trzy siedemdziesiąt cztery – podlicza.

– Więc nikt nie wie, kto napisał ten szyld? – ciągnę z uporem, sięgając po portfel.

– Zgadza się. Chyba nikt tego nie wie.

– Może to ktoś z drugiej zmiany?

– Być może.

– Chciałbym porozmawiać z tą osobą, jeśli to możliwe – zwracam się do niej i podaję dość podniszczonego dziesiątaka.

– Właściwie dlaczego?

– Chciałbym się przekonać, czy osoba, która napisała ten szyld, przeżyła jego treść na własnej skórze, czy też po prostu to sobie wymyśliła.

– Przeżyła co?

– Szyld. Znaczenie napisu na szyldzie.

– Niech pan posłucha, nie wiem, kto napisał ten szyld, okay? – oznajmia tonem zamykającym temat, podając mi resztę.

– Zatem czy zauważyła pani, żeby któryś z pracowników drugiej zmiany wyróżniał się szczególnie? Był nadzwyczaj sumienny i usłużny? Niemal tryskający radością życia?

– Nie jestem na innej zmianie. Jestem na tej – stwierdza.

– To prawda, ale może słyszała pani o takiej osobie. Prawdopodobnie cieszy się tu pewną sławą. Lubi tu przychodzić.

– Jaka „osoba”?

– Ta, która napisała szyld.

– Niech pan posłucha, nie wiem, kto napisał szyld. Ktoś go napisał, ale to nie byłam ja. Okay?

– Ja napisałem szyld – odzywa się chłopak w czapce wciśniętej na odstające uszy, gdy odkłada telefon i lekko masuje sobie kark.

– Ty napisałeś szyld? – dziewczyna chichocze i odwraca się do pozostałej dwójki. – Dicky napisał szyld!

– Jaki szyld?? – dwójka kucharzy zgodnie przemawia jednym głosem.

– Ten szyld! Ten szyld, o tutaj – uderza w szyld wierzchem dłoni, wprawiając go w szalone obroty nad parującymi skrzydełkami.

– Co na nim jest? – pyta bez entuzjazmu jeden z kucharzy.

– Możesz przeczytać – odpowiada dziewczyna, a najchudszy z kuchcików pochyla się nad szyldem, wycierając wilgotne czerwone palce o czarny fartuch. Chwyta tekturę i zatrzymuje jej ruch. Patrzy przez zmrużone oczy i czyta napis.

– Nie łapię, o co chodzi – oznajmia, cofając się o krok i wysysając sos z kciuka.

– Tu jest napisane ŻYCIE JEST TYM, CO SIĘ NAM PRZYDARZA, KIEDY PLANUJEMY COŚ INNEGO – informuje go dziewczyna.

– Wiem, co tu jest n a p i s a n e. Potrafię czytać.

– No to o co chodzi? – dziwi się.

– Dicky to napisał?

– Co to znaczy, Dicky? – dziewczyna pyta zalotnym, przeciągłym, tajemniczym szeptem.

– To, co jest napisane – mamrocze Dicky.

– Bardzo celne – wtrącam. – Gdzie to znalazłeś?

– Po prostu wymyśliłem – odpowiada Dicky.

– Tak po prostu, z niczego? – dopytuję się. Wciąż nie widzę jego twarzy. Chłopak nie przestaje tłuc w klawisze komputera, pociągając lekko nosem pod długim daszkiem czapki.

– Właśnie, po prostu przyszło mi do głowy.

– Dicky jest bystrym facetem – odzywa się jeden z kucharzy, dźga Dicky'ego łokciem w żebra i wraca na swoje stanowisko. Dicky podskakuje lekko, lecz nie pokazuje twarzy. Mówię do czubka jego czapki.

– A więc, Dicky, ta myśl pojawiła się w twojej głowie w momencie, gdy pogrążony byłeś w marzeniach o przyszłości i zdałeś sobie sprawę, że życie przechodzi obok ciebie?

– Coś w tym rodzaju.

– Czy nadeszło to niczym szok, przebłysk świadomości, kiedy nagle zorientowałeś się, jak bardzo oddaliłeś się od rzeczywistego świata?

– Co nadeszło?

– Ta myśl. Ta przenikliwa myśl, że życie jest tym, co się nam przydarza, kiedy planujemy coś innego?

Chłopak znowu pociąga nosem i wyciera go wierzchem nadgarstka. W końcu spogląda na mnie; głębokie szarozielone oczy podbite ciemnofioletowymi półksiężycami, jakby był zupełnym wrakiem człowieka. I kolejne kolczyki – w każdym z nozdrzy po jednym, a potrójny zestaw w dolnej wardze wygląda, jakby miał niebawem zacząć ropieć. Jego oczy są łagodne i przestraszone, uciekają od mojego wzroku w stronę przeszklonego okna.

– W rzeczywistości niczego nie planowałem – oświadcza niemal szeptem, jak gdyby nie chcąc, by inni usłyszeli. – Chyba marzyłem wtedy o Kolorado.

– Kolorado?

– Uhmm – jego oczy ponownie prześlizgują się po mnie, chwytając mój wzrok przez ułamek sekundy, potem przebiegają po klawiaturze w poszukiwaniu miejsca, w którym mogłyby się skryć.

– Masz na myśli marzenia?

– Uhmm. Byłem tutaj. Tak jak teraz. Patrzyłem przez to okno.

Dziewczyna z końskim ogonem wycofała się za skwierczące pojemniki z gorącym olejem do dwójki smażących kucharzy. Rozmawia z nimi konspiracyjnym szeptem, zapalając papierosa i paranoidalnie zerkając w moją stronę. Zielone oczy Dicky'ego skaczą znowu w kierunku okna i zatrzymują się na strużkach skroplonej pary. Wygląda na to, że na zewnątrz jest chłodno. I rzeczywiście jest chłodno.

– Jak dawno temu to było, Dicky?

– Co? – odzywa się jak w transie.

– Ten epizod, kiedy miałeś marzenie o Kolorado?

– Nie wiem. Po prostu któregoś dnia, jak mi się zdaje. Stałem tutaj. I patrzyłem na śnieg.

– Śnieg. Padał wtedy śnieg?

– Nie. Padał w Kolorado. Patrzyłem na śnieg w Kolorado.

– Ale ty byłeś tutaj?

– Tak, byłem tutaj. Tak jak teraz. Widziałem opadające płatki. Bardzo miękkie. Wszystko było ciche. Jak prawdziwa cisza. Za mną, na górze stała chata.

– Widziałeś siebie wśród padającego śniegu? W Kolorado?

– Uhm. Byłem tam. To znaczy, byłem tam, będąc jednocześnie tu. Nie wiem, skąd wzięła się ostrość tej wizji. Chyba bardzo chciałem tam być, jak sądzę. Myślałem o tym przez długi czas.

– O Kolorado.

– Tak. Tam właśnie byłem. I widziałem tę chatę przez padający śnieg. Złotawe światło w oknach i dym unoszący się z komina. I jeszcze drewno na opał, ustawione w pryzmy na ganku. Czegoś jednak brakowało.

– Co to było?

– Ta dziewczyna.

– Hmm. Twoja przyjaciółka?

– Nie, dziewczyna, o której marzyłem, żeby tam była.

– Nie było jej tam?

– Nie. I wie pan, to mnie zaszokowało.

– Kim była ta dziewczyna?

– Nie wiem, ale nie było jej nigdzie wokół.

– Dziewczyna z wyobraźni?

– Chyba tak. Tak mi się wydaje. Nie było jej tam.

– Byłeś więc rozczarowany z tego powodu?

– Tak, byłem. W końcu to był główny powód, dla którego wyszedłem z chaty.

– Byłeś więc we wnętrzu chaty?

– Tak, ale nie było jej tam, więc wyszedłem na zewnątrz, w śnieg i obejrzałem się za siebie, patrzyłem na chatę, widziałem światła i dym, ale nigdzie jej nie było. Wie pan, byłem tam zupełnie sam. I wtedy pomyślałem sobie: po co przebyłem całą tę drogę, skoro jestem tutaj zupełnie sam? Towarzyszyło mi to okropne uczucie. Wie pan, takie uczucie, kiedy ma się być chorym. Jakby nigdy więcej nie miał pan zobaczyć ludzkiej istoty. Po prostu – skazany na samotność. To wszystko.

– Czy to wtedy naszła cię ta myśl?

– Jaka myśl?

– Ta, że życie jest tym, co się nam przydarza, kiedy planujemy coś innego?

– Chyba tak. – Jego oczy na moment powracają do mnie, potem znowu uciekają do okna. – Nie wiem. Nie, ta myśl nie przyszła mi do głowy w tym momencie. Sądzę, że przyszła potem.

– Potem?

– Hmm, potem.

– Po czym?

– Nie wiem. Po tym, jak coś trzasnęło; coś huknęło z tyłu tuż za mną. To był chyba olej.

– Ten od skrzydełek? Do smażenia?

– Uhmm. Zaczął skwierczeć i trzaskać jak... wie pan, kiedy wrzuca się świeże skrzydełka, olej mało nie eksploduje.

– Zgadza się. To więc ściągnęło cię z powrotem, ten odgłos.

– Tak. Wróciłem tutaj.

– A Kolorado wtedy odpłynęło?

– Uhmm. Po prostu zniknęło.

– Wtedy naszła cię ta myśl?

– Musiało tak być – odpowiada i znika pod okapem swojej czapki.

– Jestem z ciebie dumny, Dicky – mówię do niego, wychylam się i klepię go po czapce, tuż nad słowem SKRZYDEŁKA.

Chwytam pusty kubek i tackę ze skrzydełkami i ruszam w kierunku dystrybutora z pepsi. W długim boksie siedzi grupka azjatyckich studentów. Dwie ładne dziewczyny oraz chłopak w grubych okularach. Dziewczyny chichoczą i rozlewają napój, a chłopak wysysa porcję skrzydełek. Siadam w boksie za nimi. W lokalu nie ma więcej klientów. Wysoko w rogach sali zamontowane są dwa telewizory z wyłączoną fonią. Jeden z nich ustawiony jest na kanał NFL, z powtórkami meczów futbolu amerykańskiego, drugi, chyba na kanale Discovery, pokazuje węża, powolnie połykającego duże, żółte jajo. Gdy tylko siadam, dostrzegam Dicky'ego zmierzającego w moją stronę z opuszczoną głową, z rękami w kieszeniach. Wsuwa się do mojego boksu i siada naprzeciwko, z twarzą ciągle ukrytą pod czapką.

– To nie do końca prawda – szepcze.

– Co?

– O tym szyldzie. Chodzi mi o to, że to ja napisałem znak i zrobiłem resztę; powiesiłem go, ale to nie była moja idea. Chodzi mi o napis na szyldzie... wymyślił to inny facet. To nie jest moje.

– Och.

– To z nim chce się pan spotkać. Pamięta pan swoje słowa, że on może być inny i nietypowy?

– O, tak.

– To z tym gościem chce się pan spotkać.

– Kim on jest?

– To Bruce. Bruce jest facetem, który to wymyślił.

– Kim jest Bruce?

– To gość, który poprzekłuwał wszystkie moje dziurki. On włożył wszystkie te kolczyki.

– Uhm.

– On naprawdę budzi respekt. Powinien pan spotkać się z Bruce'em. On ma mnóstwo podobnych przemyśleń.

– Gdzie jest Bruce?

– Gdzieś w pobliżu. Mogę go odszukać, jeśli pan tego chce.

– No cóż, jestem tu tylko przejazdem, Dicky.

– Ach tak – odpowiada i powoli wstaje, z obiema rękami w kieszeniach. – Pomyślałem sobie, że chciałby pan się z nim spotkać. Mówił pan, że chce się spotkać z osobą, która napisała szyld.

– Spotkałem się z tobą.

Przystaje w narożniku boksu, wahając się, czy ma zostać, czy odejść.

– Ale widzi pan, ja nie jestem tą osobą. Chodzi mi o to, że to on podpowiedział mi tę myśl... Bruce to zrobił..., która jest na szyldzie. Powiedział mi to już dawno, zapamiętałem to, bo wydawało mi się naprawdę cool, wie pan. Zapisałem więc tę myśl, ale nie ja ją wymyśliłem.

– Wiem.

– To nie byłem ja.

– Ale ty to napisałeś. Wyciąłeś pieczołowicie kawałek tektury, znalazłeś właściwy flamaster i zapisałeś wszystkie te wyrazy dużymi literami. Potem zakleiłeś cały napis paskami przezroczystej taśmy, żeby wyrazy nie pochlapały się tłuszczem z kurczaków, zrobiłeś małą dziurkę u góry i przewlokłeś przez nią sznurówkę, a potem wlazłeś na górę, ponad skrzydełka, i tak manewrowałeś palcami wśród przewodów elektrycznych, by zawiązać supeł, dzięki czemu szyld zwisa symetrycznie tuż pod lampami, znajduje się w polu widzenia każdego, kto wchodzi, dokładnie na wysokości oczu. A ty wiesz, że oczy zapragną przeczytać ten napis, umysł zaś zacznie go roztrząsać, zamieniając na sekundę każdą myśl o jedzeniu lub głodzie na nową myśl, która pobiegnie ku rzeczywistym i prozaicznym faktom z życia, oddalając się od marzeń o rynku giełdowym, dziewczynach albo nieudanych małżeństwach, o kolejach losu czy nawet o Armagedonie. W tym krótkim jak mgnienie oka momencie w ich ciele eksploduje tajemnicze światło, wysyłające sygnały do odległych zakamarków ich członków, które nagle przypomną sobie moment narodzin, jednocześnie uświadamiając sobie nieuniknioność śmierci. Ty to zrobiłeś, Dicky. To właśnie zrobiłeś, Dicky.

– Chyba tak – mamrocze i rusza z powrotem do pracy, kiwając mi na pożegnanie bladymi palcami. Miękki stukot komputerowych klawiszy rozlega się ponownie. Wąż skończył właśnie pożerać jajo; ogromne wybrzuszenie przesuwało się cal po calu wzdłuż jego ciała. Studenci z Azji sprzątają w swoim boksie. Ścierają czerwony sos z laminowanego blatu. Brett Favre posyła piłkę do strefy końcowej. W tle słychać niespokojny kobiecy wokal, zupełnie niezwracający uwagi na linię melodyczną. Spoglądam na moją tackę ze skrzydełkami. Wydają się bardzo odległe. Nie mam pojęcia, w jakim jestem mieście. To bez znaczenia. Nie mam pojęcia, do jakiego miasta jadę. Nie mam żadnych planów.

Interes firmy

Więc on mówi do mnie: „Trzy odjazdy bez zapłaty i przechodzisz do historii." Noling. To właśnie powiedział mi pierwszego dnia pracy. Trzy. Co właściwie mam zrobić? Jestem tu tylko samotną kobietą. Znajduję się o dwie mile od autostrady międzystanowej i dobre dziesięć od miasta. Czego on właściwie oczekuje? Widzę, jak zatrzymuje się samochód. Jest czwarta rano. Auto prezentuje się, moim zdaniem, odlotowo. Ma tablice z Indiany. Dość schludne. Biały gościu z rodziną. W każdym razie wyglądają jak jego rodzina. Kobieta i dwójka dzieci. Skąd właściwie mam wiedzieć? Może on porwał całą trójkę? Podchodzę i przez głośnik mówię, że auto może podjechać. Jestem całkiem sama. Dokładam starań, by mój głos brzmiał donośnie. Jak głos faceta lub podobnie. Nisko. Wiecie, jakbym nie była sama jedna. Jakby siedziała tu ze mną cała zgraja pieprzonych gnojków z ciężarówek. Obserwuję zza kasowej lady. Widzę faceta wyraźnie jak w dzień. Nie przestaje patrzeć na dystrybutor, śledzi zmieniające się liczby. Wcale nie spogląda w tył, na mnie. Ani razu. Nie ma powodu do podejrzeń, prawda? Jego żona kołysze na kolanie jedno z dzieci; bawi się z nim jakimś głupim piórkiem; łaskocze nim dziecko po twarzy. Malec chichocze. Widzę to. Mam stąd dobry widok. Widzę dobrze wszystkie dystrybutory. To jest jedyne auto na zewnątrz. Facet nawet myje pieprzoną przednią szybę. Robi to całkiem starannie; po każdym pociągnięciu szyb gumową wycieraczką przeciera je papierowym ręcznikiem; upewnia się, że nie ma żadnych zacieków. Naprawdę staranna robota. Wciąż nie odwraca się w moją stronę. Nie wiem, czy wiecie, ale odjazd bez zapłaty zwykle można przeczuć, są jakieś sygnały. Gościu, który ucieka, nigdy nie myje przeklętej szyby. Jest zbyt zajęty myśleniem o ucieczce. Zbyt spięty. Nie ten facet. Wykorzystuje czas beztrosko. Kończy myć przednią szybę; przeciera przednie światła, przechodzi na tył wozu i wyciera tylne światła; ponownie zanurza myjkę; myje tylną szybę; potem wrzuca myjkę z powrotem do pojemnika; wsiada do pieprzonego auta i odjeżdża. Po prostu, do kurwy nędzy, odjeżdża w mrok nocy. Nawet nie drgnął. I co mam teraz zrobić? Ruszyć moje grube dupsko i gonić za nim, krzycząc i wymachując ramionami? Jak mam go zatrzymać? Nie jestem uzbrojona. Jestem tu samotną kobietą. Ale Noling powie mi, że jeszcze dwa razy i jestem upieczona. Tak właśnie powie. Firma odciągnie to sobie z mojej wypłaty. Kiedy więc następnym razem proszę o zapłatę z góry, kartą kredytową lub gotówką, lub w innej formie, on mówi mi, że to nie jest legalne. Prawo stanowe czy jakieś tam gówno. Nie wolno mi tego robić. Więc co mam robić? Odpowiada: „Nie pozwól, by tak się stało kolejny raz." Do moich obowiązków należy dbanie o interes firmy. Weźmy choćby to, co się wydarzyło innej nocy; tych dwóch z tablicami z Kentucky wtoczyło się tu naprawdę późno. I, jeśli mogę tak powiedzieć, wyglądali jak żałosne łazęgi. Ciężarówka do cna poobijana, wszystko przeżarte rdzą, dyndające błotniki, krowie łajno skapujące z chlapaczy, bagażnik na strzelby; wszystkiego razem z dziewięć jardów. Po prostu zgroza. I tych dwóch wytaczających się z ciężarówki. Mówię wam, we dwóch musieli ważyć chyba dziewięćset funtów, nie kłamię. Potrafię ocenić, ile kto waży. Jestem w stanie określić wagę na oko z dokładnością do pięciu funtów, oceniałam opasowe bydło taty. Jestem w tym naprawdę dobra. A tych dwóch, możecie mi wierzyć, ważyło razem bite dziewięćset funtów. I w końcu tu przyszli; postrzępione brody, włosy aż po sam tyłek i tatuaże. Stopy bez skarpetek. Widziałam to dobrze z mojego miejsca. Mam naprawdę dobry wzrok. Ci dwaj to dwa zwierzaki z głębokiej puszczy. Sam ich widok rodził podejrzenia. Przez cały czas tankowania ich oczy biegały na wszystkie strony. Spoglądają na mnie; potem patrzą na drogę i znowu wybałuszają gały na mnie. Modlę się, żeby odjechali bez płacenia, dzięki czemu nie musiałabym ich oglądać. Umiecie to sobie wyobrazić? Samotna kobieta na pustkowiu i tych dwóch przekraczających próg. Jedyne, na co mogę się zdobyć, to zapisanie ich numerów rejestracyjnych, żebym miała przynajmniej co pokazać Nolingowi, kiedy następnego dnia wezwie mnie na dywanik. Wyglądam i okazuje się, że nie odjeżdżają, lecz idą tutaj! Kierują się wprost ku drzwiom, dokładnie na mnie, obydwaj. Dopiero teraz moje serce zaczyna walić jak szalone, ponieważ ci dwaj strasznie wyglądali już z daleka, z bliska natomiast to był istny horror. Wymachiwali ogromnymi, umięśnionymi ramionami, pluli obficie porcjami czarnego gówna i nie odzywali się do siebie ani słowem. To mnie zastanowiło. Ani słowa. Żaden z nich nawet nie pisnął przez cały czas. A ja oczywiście jestem całkiem sama. Żywej duszy w sklepie. Chcę przez to powiedzieć, że jakoś sobie radzę, kiedy słyszę rozmowę, chrząknięcie czy inny odgłos, ale ci dwaj milczeli jak skała. Nie mogę tego znieść. Zawsze mam coś włączone, telewizor lub radio, co rozprasza ciszę; odpędza samotność. Sprawia, że nie czuję się sama. Jednak cisza napawa mnie strachem. I teraz też, kiedy oni wchodzą, a ja myślę sobie: „O, cholera, ale wpadłam." Jednak oni wcale nie podchodzą do mnie, lecz kierują się ku regałom, gdzie leżą słodycze, bardzo powoli, wymachując umięśnionymi ramionami. Są tak otyli, że ich ręce sterczą w bok, aż prześwituje przez nie światło. Jak indory, które się nadęły – właśnie tak się poruszają. Bardzo powoli, tam i z powrotem wzdłuż regałów ze słodyczami; jedynym dźwiękiem, jaki słychać, jest brzęczenie kluczy przypiętych u pasa. Mają łańcuszki, do których przymocowane są miniaturowe klucze francuskie i scyzoryki, otwieracze do puszek oraz duże, czarne metalowe krzyże, jakie noszą rowerzyści i motocykliści. Wiecie, niemiecka robota, jak ten harlejowski szajs. Wszystko musi pasować. Są tu i buszują wśród słodyczy. Obydwaj. Jak para ogłupiałych, zagubionych na autostradzie niedźwiedzi. Nie spojrzeli na mnie ani razu. Wybałuszają gały jedynie na słodycze. Sięgają po paczki z M&M's-ami i czytają etykiety, potem obracają je na różne strony, jakby sprawdzali wagę czy coś w tym rodzaju. Nie potrafię tego rozgryźć. Kiedy ostatni raz sprawdzaliście zawartość paczki M&M's-ów? Ci dwaj robią to cały czas. Nie wypowiadając nawet jednego słowa. Następnie podchodzą do półki z Pay Daysami i robią to samo: potrząsają torebeczkami, sprawdzają napisy i wąchają opakowania. Potem przechodzą do batonów Tootsie Rolls i Almond Joys oraz do pojemników z masłem orzechowym Reese'a. W górę i w dół regałów; tam i z powrotem. W chwili gdy docierają do końca, grube jak kiełbasy ramiona pełne są przeróżnych słodyczy. Obaj mają dokładnie te same słodkości. Widzę ich, siedząc za ladą. Obserwuję ich dokładnie kątem oka, starając się zapamiętać, co biorą; pilnując interesu firmy. I przez cały czas myślę, że na pewno zamierzają obrabować lokal. Przebieranie w słodyczach stanowi jedynie przykrywkę pozwalającą im sprawdzić miejsce; kamery; wyjścia; alarmy i inne gówno. W każdej chwili mogą się zdekonspirować i wyciągnąć w moją stronę jakieś monstrualne spluwy. Tak właśnie myślę. Ale nie, teraz kierują się w stronę regału z ziemniaczanymi chipsami i zaczynają układać stertę toreb z Fritosami, chipsami Cool Ranch, Rufflesami oraz preclami. Nie uwierzylibyście. Każdy z nich ma dokładnie ten sam asortyment; jak gdyby się obawiali, że jeden może mieć coś innego niż drugi. Para wielkich, brodatych niemowlaków. Teraz zawracają w moją stronę. Zatrzymują się przy końcu regału i kierują się prosto na mnie; myślę, że właśnie się zaczyna. Naprawdę byłam o tym święcie przekonana. Są obładowani towarem po same nosy. Z góry spoglądają jedynie ich małe, przymrużone, czarne oczy. I nagle dostrzegam, że to bliźniacy! Po samych oczach. Wiecie, jak się rozpoznaje takie rzeczy. Dostrzegając coś w oczach. Od razu wiecie, że ktoś jest spokrewniony. W tym momencie serce zaczyna mi walić z takim impetem, iż boję się, że identyfikator odpadnie mi od cycka! Jestem pewna, że w tej chwili wyciągną spluwę. Podejdą do lady, zrzucą cały kram tego szajsu, wyciągną wielkie magnum i przystawią mi do ust. Mam pewność, że za chwilę zginę. Żadnej ucieczki. Jestem tu sama. Cóż mogę zrobić? Zadzwonić pod 911? Zanim patrol drogowy tu dojedzie, będę martwa. Cała się teraz trzęsę. Pot ścieka mi spod pach. Mam zimne palce i zaczynam myśleć o mamie. Zupełnie nieoczekiwanie zaczynam myśleć o niej. Widzę, jak siedzi na sofie i ogląda *Oprah Winfrey Show*; pali czerwone; zagryza Cheeze Whizy i krakersy Ritza; płacze krokodylimi łzami nad nieszczęściem ludzi pokazanych w programie. Nie wiem, co się stanie; kto się nią zaopiekuje, kiedy odejdę; kto jej powie, że mój mózg leży rozbryzgany w Conoco. Nikt. Zostałam tylko ja. I nie mam pojęcia, dlaczego zawsze tak się dzieje.

Concepción

Mój ojciec regularnie zasięgał porad Cyganek. Było to coś, o czym nie rozmawialiśmy nigdy – ja i moja matka – taka była jednak prawda. Wiem o tym stąd, że pewnego wieczora zatrzymał się nagle przed małym kamiennym domem, usytuowanym za cytrynowym gajem w okolicach Upland. Moja mama i ja siedzieliśmy w samochodzie – ja ubrany w togę kościelnego chóru, ona w granatowym kostiumie, w niewielkim toczkiem i z dobraną do tego torebką. Zbliżała się Wielkanoc i przygotowywano uroczystą mszę z udziałem połączonych chórów – męskiego i chłopięcego. Mama była bardzo dumna z mojego głosu, chociaż nie mogłem pojąć, w jaki sposób wychwytywała go spośród dziesiątków innych, jak mogła usłyszeć właśnie mój. Siedziała na miejscu dla pasażera przede mną i oboje patrzyliśmy, jak tato stał na ganku kamiennego domu w snopie żółtego światła i naciskał dzwonek do drzwi. Był ubrany w mundur sił powietrznych, nad jego kapitańską czapką zataczały kręgi maleńkie ćmy oraz polujące komary. Patrzył w stronę cytrynowych drzew i odległych świateł San Dimas, czekając, aż ktoś pojawi się w drzwiach; ani razu nie spojrzał w naszą stronę. W głowie miał zapewne natłok myśli, cokolwiek to jednak było, nie byliśmy wtajemniczeni. Ciężki, słodki aromat cytrynowego kwiecia przenikał przez szyby auta. O okno małego kamiennego domu oparty był szyld, na którym widniał napis «CONCEPCIÓN» – tylko to jedno słowo, napisane odręcznie. pomarańczową kredką; wokół umieszczono małe niebieskie lampki choinkowe. Nad tym wisiał niewielki porcelanowy krucyfiks, jaskrawa czerwień krwi z ran Chrystusa wydawała się jeszcze intensywniejsza na tle czystej glazurowanej bieli jego skóry. W końcu ktoś podszedł do drzwi i wpuścił mojego tatę do środka. Nie mogłem dostrzec twarzy, lecz zorientowałem się, że była to kobieta, po tym jak miękko zatrzasnęła drzwi. Widziałem też czerwone plisy jej długiej spódnicy, znikające tuż za spodniami mojego ojca. Mama i ja siedzieliśmy w milczeniu, słuchając wycia kojotów oraz przenikliwego piszczenia sów w sadzie, pikujących z góry w poszukiwaniu polnych myszy. Od wschodu powiewała bryza Santa Ana. Matka odrzuciła torebkę na kolana i patrzyła dalej przez przednią szybę. Nie miałem pojęcia, o czym myśli.

– Co oznacza to słowo? – zapytałem.

– Jakie słowo, skarbie?

– To słowo w oknie, napisane na pomarańczowo.

– Ach, to chyba po hiszpańsku – powiedziała, obróciwszy głowę, żeby je przeczytać.

– Co to znaczy po hiszpańsku?

– Nie mam pojęcia, kochanie. Nigdy nie uczyłam się hiszpańskiego.

Zapadło milczenie. Spoglądałem w stronę światła dochodzącego zza zielonych zasłon w oknach kamiennego domu, nie mogłem jednak dostrzec żadnych sylwetek. Matka otworzyła z trzaskiem torebkę i wyjęła chusteczki higieniczne. Zaczęła oklepywać nimi usta, cicho przy tym cmokając. Wyciągnęła też małe okrągłe lusterko i sprawdzała w nim kąciki ust. Nie wiem, czego wypatrywała. Miała idealne usta.

– Co tata tam robi? – zapytałem.

– Po prostu... składa wizytę – odpowiedziała, wciąż oglądając swoją twarz w lusterku.

– Kto to jest? Komu składa wizytę?

– Komuś ze swoich znajomych, jak sądzę.
– Nie znasz jej?
– Nie, nigdy jej nie spotkałam, skarbie.
– Możemy tam pójść i spotkać się z nią?
– Nie, skarbie. To chyba nie jest dobry pomysł.
– Dlaczego nie?
– No cóż... twój ojciec ma z nią do omówienia prywatne sprawy.
– Jakie sprawy?
– Cóż... no wiesz... takie sprawy, jak... – zrobiła pauzę i spojrzała w przednią szybę, przed którą przemknęła sowa. Włożyła lusterko z powrotem do torebki i spoglądała w dół, jakby nagle przypomniała sobie coś, co wiązało się z listą zakupów.
– Jakie sprawy? – spytałem ponownie.
– Takie sprawy, jak... Więc... my oboje chodzimy do kościoła... ty i ja. Większość ludzi wierzy w... Ale... twój ojciec nie chodzi.
– Gdzie?
– Do kościoła. On nie wierzy w Kościół.
– Jak to?
– Nie wiem tego do końca, kochanie. Nigdy go o to nie pytałam. Prawdę powiedziawszy, to nie moja sprawa. Ale on ma pytania... pewne pytanie, tak jak każdy z nas.
– Jakie pytania?
– Cóż... takie sprawy, jak... tajemnicze sprawy. No wiesz. Sprawy, na które sami nie umiemy znaleźć odpowiedzi.

Włożyła chusteczki higieniczne z powrotem do torebki i zamknęła ją z trzaskiem. Wyglądało na to, że trzask zamykał temat; powróciła do milczącego wpatrywania się w przednie okno. Chóralna toga dusiła mnie i zacząłem ściągać ją przez głowę, jednak zaplątała mi się wokół szyi. Ogarnęło mnie nagłe uczucie paniki, jakbym wpadł do dziury. W środku tej dziury było zupełnie ciemno i pachniało krochmalem. Wydałem z siebie skowyt, niczym pies wyrwany nagle ze snu.

– Kochanie, musisz najpierw odpiąć haftki przy kołnierzu. Nie możesz tego po prostu ściągnąć na siłę przez głowę. Poczekaj, pomogę ci.

Poczułem, jak smukłe palce matki szukają metalowych haczyków, które z tyłu spinały biały nakrochmalony kołnierz z ciężką czarną szatą. Jej palce wydawały się jakieś obce. Uczucie paniki narastało i zdawało się zupełnie mnie zaślepiać. Zobaczyłem w ciemności lecącą przede mną czerwoną plisowaną spódnicę. Owiała moją twarz niczym wiatr na zewnątrz. Nie byłem w stanie określić, co było czym.

– Nie kręć się teraz – usłyszałem głos matki. – Usiłuję odnaleźć te wszyte haftki. Po prostu siedź spokojnie.

Jednak nie mogłem usiedzieć. Poczułem strach podobny do tego, jaki odczuwa górnik uwięziony w zawalonym szybie. Panowała całkowita ciemność. Pojawił się biały pies z czerwonymi oczami, który pędził prosto na mnie. Szarpnąłem mocno za grubą czarną tkaninę i usłyszałem, jak po kolei pękają wszystkie szwy. Moja głowa była w końcu wolna.

– A jednak szarpnąłeś i zerwałeś to! Popatrz! Oderwałeś cały kołnierz! Oj, braciszku. Co my z tym zrobimy? – matka zebrała rozerwaną szatę i obróciła się na siedzeniu, sprawdzając stan kołnierza.

– Przepraszam – powiedziałem bez przekonania. Tak bardzo się cieszyłem, że znowu mogę oddychać powietrzem o słodkim zapachu.

– Nie powinieneś drzeć takich rzeczy, jakby to była trykotowa koszulka, kochanie. One są specjalnie uszyte. Dają je do zrobienia zawodowym szwaczkom.

– Przepraszam – powtórzyłem.

– Szata nie należy do nas. To własność kościoła. Muszę teraz sprawdzić, czy będę w stanie zeszyć to wszystko.

Siedziałem z tyłu i patrzyłem przez okno w stronę kamiennego domu, gdy moja matka nałożyła okulary i zaczęła wyciągać nitki z oderwanego kołnierza pomalowanymi na czerwono paznokciami. Włączyła światło we wnętrzu Plymoutha i dokładnie w tym samym momencie za zielonymi kotarami dostrzegłem wysoką, szczupłą sylwetkę mojego ojca. Za nim przemknęła postać kobieca. Drzwi otworzyły się i zobaczyłem, że ojciec przekazuje kobiecie jakieś pieniądze, potem nakłada czapkę kapitana lotnictwa i kieruje się z powrotem w stronę samochodu. Kiedy przechodził wąską ścieżką przez podwórze, widziałem, że chowa do kieszeni mały brązowy woreczek. Matka szybko zrolowała porwaną chóralną szatę i położyła ją na tylnym siedzeniu obok mnie.

– Tylko nie mów ojcu ani słowa o tym, co się stało. Obiecujesz?

– Nie powiem – odparłem.

– Nawet jednego słowa – dodała, poprawiając spódnicę oraz kładąc torebkę ponownie na kolana, jak gdyby przez cały czas jego nieobecności nie przesunęła się nawet o centymetr.

W drodze powrotnej nikt się nie odzywał, Nie było to daleko, może pięć mil od naszego domu, lecz nikt nie powiedział ani słowa. Patrzyłem nieustannie na moją czarną togę, starając się dociec, czy ktoś mógłby zauważyć, że jest rozerwana. Szata wyglądała na zbrukaną i pokonaną, jakby nigdy już nie miała powrócić do dawnej świetności. Niczym upadły anioł.

Kiedy dojechaliśmy do domu, ojciec poszedł prosto do sadu z drzewami awokado, nie mówiąc ani słowa. Moja mama i ja weszliśmy do środka. Włączyliśmy światło w kuchni i usiedliśmy naprzeciw siebie przy stole z laminatu. Mama przyniosła ze sobą chóralny strój, ponownie włożyła okulary i przyglądała się badawczo kołnierzowi.

– Co tata tam robi? – zapytałem.

– Kochanie, nie wiem, co robi. Nie pytam. To nie moja sprawa – odparła, nawet na mnie nie spoglądając, wciąż zajęta przesuwaniem w palcach sztywnego kołnierza. Wstałem i podszedłem do drzwi.

– Dokąd idziesz, skarbie?

– Na dwór – odpowiedziałem.

– Tylko nie przeszkadzaj ojcu. Teraz chce być sam.
– Dobrze.

Na zewnątrz wciąż wiał wiatr od wzgórz. Był ciepły, porywisty, potrząsał drzewami awokado i zostawiał za sobą wysokie tumany kurzu, a potem nagle zamierał. Srebrna poświata podwórzowych lamp osiadała na wiacie, w której stały maszyny. Wydawało mi się, że przez moment dostrzegłem sylwetkę ojca znikającą za ścianą z falistej blachy, gdzie parkował traktor. Obszedłem wiatę dookoła z drugiej strony, serce biło mi szybko ze strachu, że ojciec przyłapie mnie na szpiegowaniu. Poczekałem na następny poryw wiatru, który zagłuszył moje ruchy, i ruszyłem szybkim krokiem, starając się przeskoczyć sterty suchych liści na ziemi. Kiedy skryłem się za starą akacją, zobaczyłem ojca klęczącego za wiatą z twarzą skierowaną ku metalowej ścianie. Był blisko ściany, plecami odwrócony do sadu. Zdjął kapitańską czapkę i położył ją obok siebie na ziemi. Mogłem dostrzec srebrne lotnicze skrzydła, błyszczące na świetle. Wyciągnął z kieszeni mały brązowy woreczek, wyjął z niego niewielką żółtą świeczkę. Zapalił ją, używając zapalniczki, i postawił na równym kamieniu u podstawy ściany. Wiatr zerwał się ponownie, jednak płomyk ledwie się ugiął. Przez długi czas ojciec wpatrywał się w światło, z rękami opartymi na udach. Patrzył wprost w migający płomyk; kiedy wiatr szumiał, grał między krokwiami dachu szopy, światło odbijało się od pofalowanej ściany. Ojciec zamknął oczy i opuścił głowę. Na koniec złożył dłonie i mocno je zacisnął. Jednak jego usta się nie poruszyły. Obserwowałem je bardzo uważnie, lecz nie poruszyły się wcale.

To nie był Proust

Daleko na terenach Wielkich Lasów Północy jest głębokie czarne jezioro; jedno z dziesiątków tysięcy w tym odludnym regionie. Jest to sztuczny zbiornik wodny, któremu nadano kształt idealnego rombu. Zimą zamarza na taką grubość, że można wjeżdżać jednotonową półciężarówką na jego środek i łowić szczupaki oraz ogromne piżmowce. Latem zamieszkują tu bobry, czaple siwe, żaby, dzikie kaczki, para czerwonookich nurów, które wydają przedziwne odgłosy, przywodzące na myśli wilki. Czasami znienacka z leśnych ostępów wyłaniają się jelenie czy łosie i zaspokajają pragnienie przy południowym brzegu, po czym ponownie wślizgują się w modrzewiowe i sosnowe ostępy. Na przeciwległym brzegu przenośny aluminiowy pomost na gumowych dętkach wystaje z rdzawej wody. Znajdują się na nim dwa ogrodowe fotele, przymocowane łańcuchem do pomostu, dzięki czemu nie zmiatają ich popołudniowe burze, nadchodzące z południowych równin z regularnością zegarka. Każdego ranka w szczycie letniego sezonu na pomoście spotykało się pewne małżeństwo z białymi filiżankami kawy w rękach; na naczyniach widniał niebieski napis „Ciastka Betty", parujące ciasteczka były wytrawione tuż pod logo. Małżonkowie odpinali fotele z łańcucha i ustawiali je w kierunku zachodnim, tak że mieli wschodzące słońce tuż nad lewymi ramionami. Siadywali blisko siebie, na wyciąg-

nięcie ręki, aby ich palce mogły się stykać i przekazywać sobie delikatne znaki wzajemnego uczucia. Niekiedy tylko spoglądali na lśniącą, gładką taflę wody i sunące powoli chmury, których krawędzie były zaróżowione od słońca jak wata cukrowa. Kiedy indziej rozmawiali.

Na czym dokładnie polega twoje uprzedzenie wobec Francuzów?

Jakie uprzedzenie?

Ta zawsze obecna drwina; to nastawienie. Nawet dzieci już to przejęły.

Czyżby?

Właśnie tak. Nie chcę, żeby dorastały, mając takie nastawienie. Chcę, żeby podróżowały do różnych miejsc; były wolne od uprzedzeń.

Do Francji? Chcesz, żeby pojechały do Francji?

Tak, oczywiście. Naprawdę chciałabym, żeby zobaczyły Francję. Dlaczegóżby nie?

No cóż, mogą zwiedzić Francję, jeśli tego sobie życzą. Jest mi wszystko jedno, czy zobaczą Francję.

Nie będą miały ochoty zwiedzić Francji, jeśli już teraz są uprzedzone.

Jak to uprzedzone?

Wypowiadają się kpiąco. Uważają, że wszystko, co francuskie, jest pretensjonalne i głupawe.

Cóż, co do tego akurat mają rację.

To wcale nie jest śmieszne, Henry. Możesz uważać, że to zabawne, lecz one nie rozumieją jeszcze tego typu sarkazmu. Są jeszcze zbyt młode. Traktują to na serio.

To jest na serio.

Nie mogę przemówić ci do rozumu.

(*Następuje długa pauza, podczas której nie dzieje się nic poza nieustannym marszczeniem się powierzchni atramentowej tafli, na skutek czego oboje mają wrażenie, że siedzą na dziobie ogromnego statku, zdążającego donikąd. Pośrodku fal płynie nur, wyglądający jak drewniana przynęta. Po chwili nieoczekiwanie znika w wodzie w pościgu za rybą, pozostawiając na powierzchni pobłyskujące, srebrzyste kręgi, które rozchodzą się po ciemnej toni. Oboje wpatrują się w te kręgi, czekając, aż ptak wynurzy się ponownie; jednocześnie po cichu odliczają sekundy: „tysiąc jeden; tysiąc dwa; tysiąc trzy..." Czynili tak już wiele razy wcześniej, od wielu lat, ale żadne z nich nie mogło sobie przypomnieć, jak narodził się ten rytuał.*)

Chcesz posłuchać opowieści?

Oczywiście, dlaczego nie. Co to będzie za opowieść?

Opowieść o tym, jak po raz pierwszy zrodziło się we mnie szydercze nastawienie wobec Francuzów.

O rany.

(*Nur znów się pojawił, jednak oboje stracili już rachubę sekund.*)

Byłem w Paryżu. Było to wiele lat temu, w latach sześćdziesiątych; włóczyłem się wtedy z pewną dziewczyną.

Co to była za dziewczyna?

To bez znaczenia.

Czy to była ta, którą poznałeś w tipi w Woodstock, na haju po zażyciu krystalicznej metadryny?

Nie. Tę dziewczynę spotkałem przypadkiem. Nie pamiętam dokładnie.

Pamiętasz. Pamiętasz wszystkie swoje dziewczyny.

Czy mogę po prostu to opowiedzieć?

Jasne. Zamieniam się w słuch.

Wyszedłem późnym wieczorem, żeby się przejść.

Bez tej dziewczyny?

Zgadza się. Ona została. Chyba chciała coś poczytać.

Założę się, że Prousta.

Co?

W poszukiwaniu straconego czasu.

Ach, to bez znaczenia. Myślałem, że zechcesz tego posłuchać.

Chcę tego posłuchać. Staram się tylko uzupełnić obraz. W środku nocy wyszedłeś pospacerować ulicami Paryża i zostawiłeś dziewczynę czytającą Prousta. I co dalej?

Dobra. No więc było to w czasach, kiedy wciąż zaglądałem do kieliszka. I wałęsałem się po ulicach. W tamtych dniach szwendałem się bardzo często.

Czego szukałeś?

Niczego. Po prostu wałęsałem się. Chciałem połazić.

Szukałeś kobiet.

Miałem kobietę.

Szukałeś kolejnych kobiet. Jedna cię nie satysfakcjonowała. Chciałeś więcej.

Czy mogłabyś, proszę, podążać za wątkiem i nie odwracać uwagi przy każdym drobnym...

Jasne. Mów dalej. Staram się tylko nadążać za opowieścią.

(*Następuje kolejna pauza, podczas której obserwują żółwia, wychylającego szyję spomiędzy liści i wydmuchującego wodę przez wąskie jak szparki nozdrza.*)

Wtedy wciąż chodziły mi po głowie romantyczne iluzje, że Paryż jest ostatnim bastionem prawdziwych pisarzy. No wiesz, pełnym starych kątów, w których można napotkać duchy Blaise'a Cendrarsa czy Vallejo, albo Céline'a czy Villona. Wiesz... szukałem tych dawnych ulubionych miejsc spotkań, o których słyszałem; barów i... ale nie miałem pojęcia, gdzie mogą się znajdować ani jak się nazywają, więc zaglądałem do miejsc, które były odpowiednio stare i zapuszczone, zamawiałem pernoda i zasiadałem, obserwując ludzi i przysłuchując się. Ponieważ jednak nie rozumiałem słowa po francusku, nie miałem pojęcia, co się dzieje; nie miałem też możliwości spytać kogokolwiek.

Pierwszy krok – nauczyć się języka. Zawsze trzeba uczyć się języków.

Racja. To nie jest mój język. Nie odczuwam z nim żadnej więzi. To brzmienie... cała ta gardłowa wymowa. To owijanie w bawełnę.

Owijanie w bawełnę? We francuskim nie ma owijania w bawełnę. Jest bardzo precyzyjny.

Tak czy owak, szwendałem się przez całą noc, zachodząc do wszystkich barów i cały czas popijając, aż w końcu znalazłem miejsce, gdzie parę osób mówiło po angielsku. Barman mówił po angielsku i było kilka dziewczyn...

A jednak, więcej dziewczyn! Znalazłeś je.

Pochodziły ze Skandynawii, ale mówiły perfekcyjnie po angielsku, wdałem się więc z nimi w rozmowę.

Dlaczego nie.

W każdym razie byłem już porządnie wstawiony po drinkach wypitych w odwiedzanych barach, kiedy jedna z tych Skandynawek podeszła i usiadła tuż obok mnie. Ni stąd, ni zowąd, niezapraszana. Pomyślałem wtedy, że w Paryżu musi to być normalne zachowanie; kobiety po prostu podchodzą i zachowują się po przyjacielsku. Na początek ona zamawia butelkę wina i dwa kieliszki. Wino jest naprawdę tanie, mogę to ocenić po etykiecie; nalewa mi do kieliszka. Mówię: „Nie, dzięki", gdyż piję bourbona i pernoda, i... właściwie to straciłem rachubę, ale wiem, że po winie będę już zalany w trupa, więc odmawiam. Ona jednak nalega, poza tym ma smutne oczy...

O rany!

Co?

„Smutne oczy"?

No właśnie. Było w nich tyle wzruszenia i znużenia, mimo jej młodego wieku. A więc wypijam z nią mały łyczek wina i zaczynamy rozmawiać. Okazuje się, że jest modelką mającą najlepsze lata za sobą; zbliżała się do trzydziestki. To dużo dla modelki, jak mi się wydaje.

Sądziłam, że była bardzo młoda? Mówiłeś, że miała smutne oczy, ale była bardzo młoda.

Tak mi się wydawało, ale myliłem się. Byłem nieźle wlany.

Najwidoczniej.

No więc ona zaczyna mówić i nie przestaje. Wydaje mi się, że po prostu czekała, aż przyjdzie ktoś, komu mogłaby opowiedzieć całą swoją historię. Ale słuchaj dalej: okazuje się, że została odkryta, gdy pewnego dnia w małej norweskiej wiosce jechała rowerem zakurzoną ulicą po chleb dla matki. Miała wtedy piętnaście, może szesnaście lat; z bmw wysiadł jakiś podejrzany typ w dobrze skrojonym garniturze i spytał, czy nie zechciałaby zostać top-modelką. Tak właśnie było. Dziewczyna zawróciła do domu i przekazała rodzicom nowinę. Matka wściekła się, że dziewczyna zapomniała kupić chleb, lecz ojciec wyczuł pieniądze i zgodził się na spotkanie z ciemnym typem. Nim się zdążyli obejrzeć, całą rodziną polecieli samolotem do Paryża.

Całą rodziną?

No tak, ona była niepełnoletnia, rodzice musieli jej towarzyszyć jako prawni opiekunowie.

Ach tak.

A zatem: przyjeżdża do Paryża i odnosi natychmiastowy sukces. Trafia na okładki międzynarodowych magazynów; robi w szybkim tempie duże pieniądze; podróżuje do Nowego Jorku, Rzymu, Monachium, Londynu; po całym świecie.

Wciąż z rodzicami?

Wciąż razem z nimi. Nie wiem, czy potrafisz sobie wyobrazić... wszyscy pochodzą z małej, zapyziałej wioski na głębokiej norweskiej prowincji; jej ojciec był chyba listonoszem; matka nie siedziała w samolocie przez całe swoje życie – i nagle zostają wrzuceni w wir świata ekskluzywnej mody, z fotoreporterami śledzącymi każdy ich krok oraz agentami podrzynającymi sobie gardła, żeby tylko zdobyć jej względy.

Nic dziwnego, że wyglądała na starszą, niż była w rzeczywistości.

Słucham?

Nic dziwnego, że miała smutne oczy.

Racja. Tak czy owak... streszczając długą opowieść – po około trzech czy czterech latach takiego życia jej ojciec popełnia samobójstwo.

O nie!

Skacze do morza z pokładu luksusowego statku wycieczkowego na Bahamach i nikt go już nigdy więcej nie widzi.

Mój Boże.

Rok później na swoje życie porywa się matka.

Przestań.

Tak właśnie robi. Wiesza się w hotelowej szafie. Dziewczyna znajduje ją następnego ranka.

Dziewczyna?

No. Znajduje ją powieszoną na pasku od kąpielowego szlafroka.

Ile ma wtedy lat?

Dziewczyna?

Uhmm. Dziewczyna. Modelka.

Chyba zbliża się do dwudziestki.

Dwadzieścia. Wciąż jest młoda. A co dzieje się potem?

Wraca do Paryża i zaczyna brać herę.

Czy to prawdziwa historia?

Powtarzam, co mi opowiedziała.

I uwierzyłeś w to?

Dlaczego nie?

Uwierzyłbyś we wszystko, do czego podczepiona jest spódniczka.

Nie, byłem zbyt wstawiony, by próbować ją zaliczyć. Po prostu słuchałem.

I to jest powód, dla którego potępiasz Francuzów? Dlatego że sprowadzili na złą drogę biedną, niewinną, małą dziewczynkę z maciupkiej norweskiej wioski? To raczej lichy argument.

Nie, pozwól mi dokończyć.

Jest coś jeszcze?

A jakże. Dziewczyna kończy swoją historię, odwraca się ode mnie i wpatruje w butelkę wina z maksymalną melancholią. Można odnieść wrażenie, że opowieść sprawiła, iż wszystko znowu stanęło jej przed oczyma. Chcę przez to powiedzieć, że smutek w jej oczach przekroczył to, co byłem w stanie znieść, i zacząłem myśleć o dziewczynie, którą zostawiłem w hotelu.

Tej, która czytała Prousta?

To nie był Proust!

Tylko żartuję!

Nie wiem, co to było, ale nie Proust!

Już dobrze.

Nie mogę niczego powiedzieć, żebyś od razu nie podkreślała...

Co? Co podkreślała?

(*Oboje milkną. Ostry wiatr tworzy na wodzie fałdę, która niczym miniaturowa fala przypływu sunie prosto w ich kierunku. Żadne z nich nie dostrzega niewytłumaczalnego strachu, jaki się w nich zrodził. Mężczyzna kontynuuje opowieść, lecz teraz mówi bardziej do siebie czy też, być może, do refleksów kłębiastych chmur, które pędzą w poprzek jeziora.*)

Nagle odczuwam przygniatającą potrzebę bycia z nią; z powrotem w hotelu, bezpieczny. Nie wiem, co to był za impuls. Chyba strach. Płacę więc za mój drink – bourbon, który zamówiłem – mówię do dziewczyny „na razie" i zmierzam w stronę wyjścia. Bar jest jednak usytuowany w piwnicy, z wąskimi schodami prowadzącymi na ulicę – coś w rodzaju niewielkiego lochu. Dokładam wszelkich starań, by pokonać te schody najskuteczniej, jak to jest możliwe w stanie, w jakim się znajduję, i zdaję sobie sprawę, że jestem o wiele bardziej wlany, niż mi się wydawało. Strach coraz bardziej narasta. Zaczynam mieć halucynacje; wydaje mi się, że jestem w mikroskopijnym francuskim piekle z gilotynami oraz kamiennymi ścianami ociekającymi krwią, i nagle zupełnie nie wiadomo skąd za moimi plecami pojawia się dwóch tępawych mięśniaków; te dwa żabojady wykidajły mają na sobie czarne golfy i złote łańcuchy; wyglądają, jakby przed chwilą wyszli z filmu z Jeanem-Paulem Belmondo. Krzyczą coś do mnie po francusku, a ja niczego nie rozumiem; jeden zachodzi od przodu i blokuje mi drogę, gdy w tym czasie drugi chwyta mnie od tyłu za kark.

Czego chcą?

No więc facet z przodu orientuje się, że jestem Amerykaninem, i łamaną angielszczyzną – bardzo złą angielszczyzną – wmawia mi, że jestem im winien jakieś pięćdziesiąt dolarów za butelkę podłego wina. „Jakiego wina?" – pytam. „Przecież piłem bourbon." I wtedy znienacka zaczyna mi świtać, mimo alkoholowego zamroczenia, że norweska dziewczyna jest dziwką i pozwoliła sobie na ten kant wobec mnie po to, żebym musiał zapłacić wielokrotność wartości sikacza.

Więc cała jej opowieść była jedynie... zmyśleniem?

Czystą fikcją. Wpadłem w prawdziwy szał. Wyszła ze mnie typowa amerykańska wściekłość, że dałem się oszukać przez zgraję nikczemnych żabojadów.

Ale ona była Norweżką.

Była z nimi w zmowie! Ja zaś, do diabła, nie miałem najmniejszego zamiaru płacić pięćdziesięciu zielonych za butelkę podłego sikacza, którego nawet nie zamówiłem. Poza tym nie miałem przy sobie pięćdziesięciu dolców. Poczułem, jak narasta we mnie ślepy szał. Wyrwałem się facetowi, który trzymał mnie za kark, i zacząłem pluć, warczeć i wydzierać się na nich, ciskając obelgi, nazywając ich tchórzami. Nawet wyzwałem ich obu na walkę na pięści na ulicy. A przecież ledwo trzymałem się na nogach, a co dopiero mówić o wymierzaniu ciosów. Musiałem trzymać jedno oko zamknięte, żeby móc skupić wzrok na nich, byłem cały zapluty iośliniony.

Urocze. Jestem pewna, że Francuzi byli pod wrażeniem.

Jasne, mimo wypitego alkoholu i jedynego oka patrzącego w delirium zdołałem zauważyć, że w tych dwóch gościach wzbudzałem głęboką trwogę.

Choroba umysłowa zawsze budzi niepokój.

Racja. Widziałem to w ich oczach. Byli przekonani, że wdali

się w szarpaninę z kompletnie szurniętym gościem. To z kolei pobudziło mnie do jeszcze większych odlotów. Zacząłem piszczeć, rozrywać koszulę, walić pięścią w ścianę...

Czy miałeś w tamtych czasach emocjonalne problemy?

Nie... to znaczy nie bardziej niż normalnie. Cała ta sytuacja doprowadziła mnie po prostu do pasji.

I od tamtej pory nosisz w sobie tę urazę do Francuzów?

W dużym stopniu właśnie tak.

Tylko z powodu tego drobnego incydentu potępiasz całą kulturę?

Chyba tak. W tamtym momencie nie był to taki drobny incydent.

Nie uważasz, że to z twojej strony przejaw ograniczenia? Zwłaszcza jeśli weźmie się pod uwagę fakt, że byłeś w sztok pijany; nie znałeś w ogóle języka i, od czego należałoby zacząć, nie miałeś żadnego powodu wdawać się w rozmowę z prostytutką.

Nie miałem pojęcia, że była prostytutką! Oceniałem ją po twarzy.

A przez cały ten czas twoja niewinna dziewczyna czekała na ciebie w hotelu, czytając Prousta i myśląc sobie, że poszedłeś na małą przechadzkę ulicami Paryża.

To nie był Proust, do jasnej cholery! To nie był Proust! Dlaczego tak się przy tym upierasz! Co się z tobą dzieje, do diabła! To nie był żaden cholerny Proust!

(*Mężczyzna zrywa się na nogi w nagłym wybuchu furii. Jego wybuch jest na tyle gwałtowny, że cały aluminiowy pomost zaczyna drżeć i kołysać się pod nim. By utrzymać równowagę, mężczyzna chwyta się za jeden z pionowych słupków. Kobieta dalej siedzi i znów wpatruje się w nura, głęboko usatysfakcjonowana tym, że udało się jej wywołać taki atak szału. Za nimi, w chacie na wzgórzu, otwierają się i zamykają głośno siatkowe drzwi. Trzaśnięcie sprawia, że nur kryje się głęboko w wodzie. Para obraca się jednocześnie w kierunku, z którego dochodzi odgłos, i widzi, jak ich dziewięcioletni syn wychodzi z miseczką pełną płatków w rękach i patrzy pod słońce przez zmrużone oczy. Kobieta macha dłonią do chłopca. Mężczyzna – nie. Chłopiec odmachuje matce i upuszcza miseczkę z płatkami na kamienną ścieżkę. Naczynie rozbija się na drobne kawałki. Mleko się rozchlapuje. Łyżeczka uderza z brzękiem. Chłopiec wbiega z powrotem do wnętrza. Po chwili kobieta się odzywa.*)

Lepiej tam pójdę.

Nie, poczekaj.

(*Mężczyzna siada na pomarańczowym ogrodowym krześle. Kolana zrobiły mu się miękkie. Ręce drżą. Czuje się tak, jakby jego system nerwowy doznał poważnego urazu. Odczuwa coś w rodzaju wstydu, jednak nie chce tego tak nazwać. Po prostu opowiedział historię. Zdaje sobie sprawę, że to zrobił. Na wzgórzu za nimi drzwi chaty otwierają się ponownie i zamykają z trzaskiem. Oboje jednocześnie obracają się w kierunku odgłosu i odnoszą to samo wrażenie, że stali się dużo starsi. Ich karki zesztywniały. Tułowie obracają się krótkimi szarpanymi ruchami, bez płynnej gracji, do jakiej wcześniej przywykli. Odczucie to poszerza się o wspomnienie kąpieli nago w tym samym jeziorze, kiedy nie mogli oderwać od siebie rąk, a ich ciała były lśniące, błyszczały niczym młode wydry, które zażywały kąpieli razem z nimi. Mężczyzna obraca się w stronę kobiety i widzi jej szyję; założone jedna na drugą nogi wysunęły się spod żółtego kąpielowego szlafroka; jej uroda wciąż lśni. Wyciąga rękę i dotyka jej kolana. Kobieta cicho i miękko wzdycha, delikatnie kładzie dłoń na jego dłoni. „Wybaczyła mi", myśli mężczyzna. Jednak miękkie brązowe oczy kobiety są utkwione w ich córce, stojącej na progu chaty. Kobieta macha ręką i woła do dziewczyny; mężczyzna odczuwa wtedy napływ zazdrości, porażający jego piersi niczym elektryczny wstrząs.*)

Część, skarbie!

(*Córka odmachuje. Wygląda na zdezorientowaną refleksami słońca odbijającymi się od wodnej tafli. Krzyżuje ramiona na piersiach, jakby nagle poczuła zimno, przechodzi nad rozbitą miseczką z płatkami i zmierza kamienną ścieżką w stronę rodziców. Mężczyzna zdejmuje rękę z kolana żony.*)

Ona jest taka senna.

Szczupła.

Tak. Bardzo szczupła i senna.

(*Psy biegną ścieżką na powitanie dziewczynki, lecz ona odpycha je i idzie dalej, z rękami założonymi na piersiach. Jej usta układają się w podkówkę; porusza biodrami, kiedy psy tańczą wokół niej.*)

Z rana jest zawsze marudna.

Bardzo wysoka i marudna.

Cześć, kochanie!

(*Córka cicho odmrukuje na powitanie, wchodzi na pomost, idzie w stronę ojca i siada mu na kolanach. Ojciec całuje ją w szyję. Dziewczyna kładzie rękę na jego ramieniu. Kobieta mówi.*)

Co robi twój brat?

Płacze.

Dlaczego płacze?

Nie wiem. On zawsze płacze.

Nie zawsze.

Prawie zawsze. Kto rozbił tę miseczkę przed chatą?

Twój brat.

Ach, tak. Pewnie dlatego płacze.

(*Kobieta wylewa do jeziora resztki zimnej kawy, wytrząsa z kubka ostatnie kropelki. Wstaje i zaciąga pasek od szlafroka. Spogląda na chatę stojącą na wzgórzu.*)

Lepiej pójdę i zobaczę. Wygląda na to, że ma ciężki poranek.

Wszystko z nim w porządku.

Pójdę tam. Chcesz jeszcze kawy?

Dziękuję.

(*Kobieta odchodzi. Psy dołączają do niej i kręcą się wokół jej nóg, gdy idzie ścieżką na szczyt wzgórza. Córka opiera głowę na piersiach ojca. Spogląda na gładką, ciemną toń; w to miejsce, gdzie wylana przez matkę kawa opada powoli, tworząc jasnobrązowy obłoczek. Z rozmarzonymi oczyma zwraca się do ojca.*)

Tato, dlaczego on zawsze płacze?

Nie wiem. Naprawdę tyle płacze?

Wydaje się, że płacze bez przerwy. I z byle powodu.

Wszystko z nim w porządku.

(*Kolejna długa pauza. Żaba skacze w trzciny. Córka zamyka oczy, jakby chciała znowu zasnąć.*)

Tato, czy naprawdę musimy jechać do Francji?

Do Francji? Kto wam powiedział, że jedziemy do Francji?

Mama. Mama powiedziała, że wybieramy się do Francji.

(*Drzwi z siatki otworzyły się i zatrzasnęły, kiedy kobieta weszła do chaty. Nur wypływa na powierzchnię z małą, srebrną, trzepoczącą się rybką. Nikt tego nie widzi. Mężczyzna łagodnie gładzi włosy córki. Nagle odczuwa potrzebę wstania, ale ciężar siedzącej córki powstrzymuje go.*)

Poczekaj sekundkę, kochanie. Zaraz tu będę z powrotem, dobrze?

Co się stało?

Nic się nie stało. Muszę tylko porozmawiać przez chwilkę z twoją mamą. Zaraz będę z powrotem. Poczekaj tu.

Dokąd idziesz?

Zaraz wracam.

(*Zostawia córkę siedzącą na pomarańczowym ogrodowym fotelu i biegnie po kamiennej ścieżce do chaty. Serce wali mu jak szalone. Ogarnia go jakiś dawny strach, którego jednak nie rozumie. Drzwi z siatką na owady zatrzaskują się za nim, gdy wchodzi do chaty. Żona stoi przy stole, obrócona do niego plecami; głaszcze syna po głowie. Odwraca się, nie przestając głaskać miękkich włosów syna. Mężczyzna podchodzi do niej i obejmuje ją w talii. Kobieta przytula się do niego, obejmują się. Całują przez długą chwilę, taki pocałunek pamiętają z czasów, kiedy jeszcze nie mieli dzieci. Chłopiec siorbie płatki z mlekiem, nie spoglądając w górę. Przestał już płakać. Chrupanie Cheerios jest jedynym odgłosem. Potem słychać brzęk łyżki o miseczkę. Mężczyzna i kobieta przestają się całować. Mężczyzna odzywa się.*)

Nie jedź do Francji – mówi.

Konwulsja

Gdyby mogła mnie teraz widzieć, z pewnością by mnie pokochała, mogę się założyć. Mogę się założyć, tak właśnie by uczyniła. Jak mogłaby mnie nie pokochać? Spójrzcie na mnie. Spójrzcie na mnie teraz. Jak wyglądam. Gdyby mogła mnie zobaczyć w tej chwili, czekającego na nią całe godziny przed umówioną porą; wypatrującego najmniejszego znaku czy odgłosu oznajmującego jej przyjście. Zobaczyłaby moją żarliwość. Dostrzegłaby desperację w moim sercu. Gdyby mogła zobaczyć mnie właśnie teraz, z daleka, tak żebym nie wiedział, że patrzy na mnie, zobaczyłaby mnie takim, jaki naprawdę jestem. Jak mogłaby nie mieć wobec mnie jakichś uczuć? Jakichś... chociaż może i nie. Może to jest... chcę powiedzieć, że może jest coś odpychającego w takim zachowaniu. Nie wiem, na czym to dokładnie polega, lecz... może jest... coś odpychającego w tym, że ktoś jest zbyt żarliwy... zbyt spragniony... zbyt potrzebujący. Sam nie wiem. Jakaś... konwulsja. Nie. Nie, nie to... To nie to. To nie jest właściwe słowo. „Mieć konwulsje." Gdyby mogła przypomnieć sobie tamten raz, kiedy to było... tamten raz, w Knoxville, kiedy całowaliśmy się w pociągu; tamten długi pocałunek... kiedy żegnaliśmy się przekonani, że się nie zobaczymy przez długi czas... całowaliśmy się bez końca, a pociąg nagle ruszył i nie miałem już jak wysiąść. Drzewa i domy uciekały w pędzie do tyłu. Wysadzili mnie więc na następnej stacji, oddalonej o wiele mil, i siedziałem tam, czekając całe godziny na pociąg jadący w przeciwną stronę... chcę powiedzieć, że gdyby mogła mnie wtedy zobaczyć, jak tam stałem i czekałem, z pewnością... z pewnością by mnie pokochała. Chcę powiedzieć, jak mogłaby nie żywić... nie wiem. Nie wiem, co powoduje, że to się zdarza... taka więź... nic już nie wiem. Jeśli kiedykolwiek istniała.

Nieuczciwe pytanie

Byłem tym, który zgłosił się na ochotnika, aby pojechać na poszukiwanie świeżej bazylii, której zabrakło przy szykowaniu przyjęcia. Moja żona znacząco przystawiła mi pod nos ostatnią malutką gałązkę, żebym wychwycił pełny, prawdziwy aromat, kształt oraz kolor listków, jak gdybym mógł ją pomylić z miętą lub rzeżuchą.

– Świeża bazylia. Upewnij się, że jest świeża – podkreśliła.

– Wydaje mi się, że mają ją w Rainbow Foods. To chyba jedyne miejsce, gdzie można ją znaleźć w niedzielę.

Uśmiechnęła się i wróciła w wir pracy, wykonywanej przez kobiety z rodziny, siekające drobno czosnek, gotujące ryż oraz szczękające garnkami i patelniami. Byłem zadowolony, że udało mi się znaleźć pretekst do wyrwania się stamtąd i ucieczki od nerwowego harmideru przybywających gości. Nie potrafię sobie przypomnieć, co właściwie celebrowano. Z pewnością nie był to pogrzeb ani wesele.

Chciałem przejechać się samotnie autem, podjechać drogą przez wzgórze aż pod Rainbow Foods – supermarket czynny całą dobę, usytuowany na obrzeżach miasta, w jednym z tych centrów handlowych postawionych na początku lat sześćdziesiątych, które teraz opustoszały, ustępując miejsca centrom nowszym i bardziej strategicznie ulokowanym. Lubię te szerokie, osłonięte klonowymi baldachimami ulice Środkowego Zachodu, na których obowiązuje prędkość dwadzieścia pięć mil na godzinę, jakby to była część tez Lutra, i gdzie, jeśli masz czelność wyprzedzać kogoś, na kogo wcześniej zatrąbiłeś, ten ktoś, choć zdarza się to rzadko, pokazuje ci energicznie środkowy palec. Piesi z Minnesoty, kiedy ich mijasz, mają zwyczaj zaglądać do wnętrza samochodu i badać centymetr po centymetrze twoją twarz w niemal desperackiej nadziei znalezienia czegoś – jakiejś wskazówki w oczach kogoś całkiem obcego. Czego właściwie mogą szukać? Nie znam innego regionu kraju, w którym wpatrywano by się we wnętrze twojego samochodu z takim bezgranicznym zdumieniem. Być może powodem jest fakt, że tu przeżywa się zbyt dużo ciężkich zim i kościelnych przyjęć, na których jest podawany suszony dorsz.

Zaparkowałem na ogromnym, niemal pustym parkingu przylegającym do Rainbow Foods, parkingu, z którym kiedyś zapewne wiązano wielkie nadzieje. Teraz znajdowały się na nim zaledwie trzy żałosne auta, skupione razem, zapewne należące do personelu, prawdziwe rozklekotane gruchoty z Minnesoty, ze śladami rdzy spowodowanej srogimi śnieżycami oraz solą sypaną na drogi. Chłopak w długim zielonym fartuchu i czapce baseballówce włożonej tył na przód pchał przed sobą długi sznur sklepowych wózków; odprowadzał je z powrotem do automatycznych drzwi Rainbow Foods. Wyłączyłem zapłon i obserwowałem, jak jego chuderlawe ciało zmaga się z ciężarem wózków, popychając je powoli wzdłuż witryn opuszczonych, już nie działających sklepów i punktów usługowych: Pałacu Zwierząt, Manikiuru u Nory, Wywoływania Zdjęć w 24 Godziny. Przeszklone okna były do połowy zaklejone szarym pakowym papierem, żeby – jak mi się zdawało – ludzie nie widzieli panującej w nich pustki. Wysiadłem i wcisnąłem guzik pilota od samochodowych drzwi. To był gest, którym przez długi czas pogardzałem u innych kierowców, teraz jednak sam nie tylko go wykonywałem, ale także cieszyłem się z poczucia władzy, jaką mi on dawał. Szczególną radość sprawiały mi migające ku mnie światła, potwierdzające, że wszystko jest zamknięte i zabezpieczone. Stałem przez dłuższą chwilę na niemal pustym parkingu, patrząc na auto, obserwując migające światła i wsłuchując się w odgłos klaksonu, aż spostrzegłem, że chłopak pchający wózki zatrzymał się i wpatruje się we mnie, jakbym mógł być niebezpieczny. Uśmiechnąłem się i pokazałem w jego kierunku pilota. Natychmiast uciekł z transportem wózków w stronę wejścia Rainbow Food. Ogarnęło mnie nagle przemożne uczucie wolności i osamotnienia. Zapatrzyłem się w kłębowisko ciemnoszarych chmur, sunących na tle zachodzącego nieba. Wiatr znad prerii targał linką przymocowaną do wysokiego aluminiowego masztu, powodując rytmiczne brzęczenie na samej górze, powiewając i łopocząc gigantyczną amerykańską flagą, która jakby samą siebie usiłowała ugryźć w dupę. Klucz dzikich gęsi przesuwał się w milczeniu pod długą srebrną warstwą chmur, sylwetki ptaków oświetlało zachodzące słońce. Zwykle gęsi lecą, nerwowo gęgając, jak gdyby błagały jakąś niewidzialną siłę, by pozwoliła im bezpiecznie powrócić na ziemię, te jednak nie wydawały z siebie żadnych dźwięków. Nie słyszałem nawet odgłosu ich skrzydeł, gdy przelatywały nade mną.

Przeszedłem przez automatyczne drzwi i w pierś uderzył mnie strumień klimatyzowanego powietrza. W sklepie nie było żywej duszy oprócz chłopaka w zielonym fartuchu, który teraz spryskiwał marchewki i pekińską kapustę mgiełką ze zraszacza. Nie widział mnie. Rozpocząłem łowy na bazylię. Nigdzie jej nie było. Był szpinak i pietruszka, i rzepa, i cykoria, i seler, ale nie bazylia. Specjalnie sprawdziłem po raz drugi, przechodząc wzdłuż straganów pełnych kolorowych warzyw i marząc w duchu, by znaleźć się w niektórych miejscach, skąd pochodziły jarzyny, jak Gilroy w Kalifornii – „czosnkowa stolica świata". Podszedłem do chłopaka w fartuchu. Wciąż machał zraszaczem tam i z powrotem, tym razem nad pasternakiem. Łagodna mgiełka uderzyła mnie w twarz i napełniła uczuciem wielkiej radości. Nie wiem dlaczego. Czystej radości.

– Widziałeś gdzieś bazylię? – zapytałem chłopaka. Odwrócił się i spoglądał na mnie nieobecnym wzrokiem, nie przerywając zraszania. Między nami unosiła się mgiełka.

– Co to jest bazylia? – zapytał.

– Jest zielona; ma nieduże liście... bardzo charakterystyczny zapach. Jest podobna do mięty albo rzeżuchy, ale to nie to samo.

– Nigdy nie słyszałem o czymś takim – odparł.

Zostawiłem go, razem z jego zraszaczem. Czułem podążające za mną spojrzenie. Był w tym przeogromnym sklepie sam na sam ze mną, ja zaś mogłem być Bóg wie kim. Choćby maniakiem szukającym bazylii. Zrezygnowałem.

Gdy wróciłem do domu, przyjęcie rozkręciło się już na sto dwa. Przy frontowej bramie wisiały balony. Psy zamknięto w garażu, skamlały teraz i drapały rozpaczliwie w drzwi. Nie jestem w stanie dociec, dlaczego tak bardzo łakną ludzkiej bliskości. Goście rozeszli się po trawniku, trzymając przed sobą drinki, papierowe talerzyki i serwetki. Można bez trudu rozpoznać, który z nich opanował bankietową technikę operowania talerzykami i drinkami, a komu szło to dość nieporadnie. Jakaś para uśmiecha się do mnie, lecz jej nie rozpoznaję. Wkradam się tylnymi drzwiami i toruję sobie drogę przez głośny tłum w kuchni.

– Nie ma bazylii – melduję kobietom, które są teraz bardzo zajęte zapiekankami i chlebem.

– Wszystko w porządku, już jej nie potrzebujemy – odzywa się jedna z nich i podsuwa mi do skosztowania dużą drewnianą łyżkę zielonego sosu do makaronu, nabranego z miksera.

– Smakuje jak bazylia.

– To j e s t bazylia – chichocze jedna z nich.

– Ach, więc wcale nie potrzebowałyście bazylii?

– Nie, chyba nie. Wygląda na to, że znalazłyśmy trochę.

– To bardzo dobrze! – odpowiadam.

Zaczynam rozpoznawać twarze wokół mnie, lecz nie potrafię przypisać do nich imion. Krewni mojej żony. Wiejskie twarze. Niektórzy z nich mają nawet mniej ogłady i obycia niż ja. Odczuwam dziwne współczucie wobec tych ogorzałych ludzi północy, o wielkich, kościstych dłoniach i łagodnych, bladoniebieskich oczach. Mimo to rozmowa z nimi wcale nie staje się łatwiejsza. Jest też kobieta z Nowego Jorku, która wyróżnia się wśród gości ze Środkowego Wschodu przerażającym czarnym strojem oraz sznurowanymi wojskowymi trzewikami i stosownie ostrzyżonymi czarnymi włosami. Sprawiała wrażenie cierpiącej i zakłopotanej, jak gdyby spędzała zbyt dużo czasu w gabinecie terapeutycznym. Nie przestaje ględzić o tym, jak jadąc wypożyczonym autem, zgubiła się i nie mogła znaleźć drogi z lotniska Minneapolis – St. Paul. Sprawia wrażenie, że ma wielką ochotę na wciągnięcie ludzi w swe najdrobniejsze problemy, które przedstawia jak ogromne dramaty.

W końcu rozpoznaję pewną kobietę z Montany, przyjaciółkę siostry mojej żony, z którą zawsze rozmawiało mi się dosyć łatwo, głównie z tego powodu, że ona rozmawia o wszystkim, co przyjdzie jej właśnie do głowy, poczynając od Szekspira, aż po bożonarodzeniowy pudding. Według niej wszystko jest „fascynujące" albo „cudowne". Kieruję się w jej stronę z nadzieją, że zdążę nawiązać z nią rozmowę, zanim uczyni to ktoś inny, i rzeczywiście po niecałej minucie pyta mnie o broń – nie jest to wprawdzie mój ulubiony temat, lecz lepszy od krytykowania Busha czy wychwalania Tigera Woodsa, a te dwa tematy zdają się dominować na przyjęciu. Jest zaniepokojona ostatnią serią napadów na samotne kobiety w rejonie St. Paul, dokąd ostatnio się przeprowadziła, i zastanawia się, czy nie nadeszła pora na rozważenie noszenia broni. Wyrażam zdumienie, że ktokolwiek w St. Paul mógł zostać napadnięty, ale skąd mogę wiedzieć? Nie bywam w dużych miastach. Staram się zniechęcić kobietę z Montany do noszenia broni, wykorzystując typowy argument, że może być użyta przeciwko niej. Zamiast tego rekomenduję jej sięgnięcie po śrutówkę kaliber czterysta dziesięć dla ochrony domowego dobytku na wypadek, gdyby jakiś pomyleniec szedł za nią do domu i chciał rozwalać jej drzwi.

– Nie możesz chybić z czterysta dziesiątki – mówię do niej. – Jest lekka. Jest szybka. I możesz strzelać z biodra.

Uśmiecha się. Lubi skojarzenia westernowe. Pyta mnie, czy posiadam taką, odpowiadam, że tak, lecz nie jest na sprzedaż. Pyta mnie, czy może ją zobaczyć, żeby chociaż miała pojęcie, jak wygląda śrutówka tego kalibru.

– Prawdę powiedziawszy, broń jest w piwnicy, w dużej transportowej skrzyni – mówię. – Nigdy jej nie rozpakowywałem, odkąd przenieśliśmy się z Wirginii.

– Och, chcesz powiedzieć, że nie będziemy mogli jej zobaczyć – stwierdza; robi wrażenie głęboko rozczarowanej. Jestem zdumiony faktem, że w tak krótkim czasie zapałała głębokim afektem do czterysta dziesiątki.

– Nie, chyba możemy zejść na dół. Sprawdzę, czy można dokopać się do niej.

– Mógłbyś? Byłoby fantastycznie!

Kierujemy się na dół, do piwnicy, przemykając przez kuchnię wypełnioną teraz nastolatkami, przyjaciółkami mojej córki; bandany w kropki i obuwie firmy Birkenstock – dziewczyny mocno zbudowane, opalone i mające w dupie facetów. Moja córka klepie mnie czule po głowie, kiedy przechodzimy obok. Przypomina mi to, że jestem ojcem, i jednocześnie sprawia, że czuję się nieco dziecinnie.

Minęło już pięć lat, odkąd ostatni raz zaglądałem do wysokiej transportowej skrzyni, do której były zapakowane strzelby na śrut i sztucery. Przestałem polować po tym, jak przeprowadziliśmy się tutaj, głównie z tego powodu, że na Środkowym Zachodzie polowanie na zwierzynę płową ze sztucerem jest nielegalne, ja zaś pomysł okaleczenia zwierzęcia ze śrutówki i wleczenia go przez las, pozwalając, aby się wykrwawiało na śmierć, uznaję za szczyt idiotyzmu. Dostrzegam skrzynię w ciemnym, zatęchłym narożniku, za kotłem; zaczynam szperać wśród długich, ciężkich luf owiniętych w szary papier pakowy i zaklejonych taśmą. Kobieta z Montany stoi tuż za mną, ciężko oddychając.

– Potrafisz powiedzieć, która jest która, tylko na podstawie dotyku? – pyta.

– Tak, no więc śrutówka kaliber czterysta dziesięć ma bardzo cienką lufę, niemal taką jak dwudziestka dwójka. Jest bardzo lekka. Lżejsza niż kaliber dwadzieścia – odpowiadam.

– Czyli potrafisz rozpoznać każdą strzelbę, dotykając jej lufy? To niewiarygodne! – oznajmia.

– Nie do końca – odpowiadam. – Na przykład ta tutaj... poznaję, że to kaliber dwieście siedemdziesiąt, po lunecie. Widzisz?

Wyciąga rękę i ostrożnie dotyka wybrzuszenia pod papierem.

– Ach! – odzywa się. – Widzę. Zatem czterysta dziesiątka nie ma lunety? Czy to o to chodzi?

– Racja, czterysta dziesiątka jest strzelbą na śrut. Małą śrutówką. To jest sztucer.

– Och, więc istnieje różnica między śrutówką a sztucerem? – pyta.

Nagle czuję się, jakbym został wystrychnięty na dudka. Na górze przyjęcie rozkręcało się w najlepsze, dzieciaki podregulowały głośniki na full z piosenką Moby'ego i nagle rozległa się hałaśliwa kakofonia dźwięków, kiedy wszyscy zaczęli jednocześnie mówić i krzyczeć, chcąc, by ich słyszano przez ogłuszającą muzykę. Jest w tym coś śmiesznego, gdyż brzmi to tak, jakby ktoś unosił w górę teleprompter. Co ja właściwie robię tu na dole? W końcu udaje mi się odnaleźć wysmukłą śrutówkę kaliber czterysta dziesięć, odwinąć ją z papieru i wyciągnąć ze skrzyni.

– Ojej, rzeczywiście wygląda jak strzelba-zabawka! – stwierdza kobieta i cofa się, podczas gdy ja łamię wąską lufę i się upewniam, że strzelba nie jest naładowana. – Czy mogę ją potrzymać? – pyta.

– Jasne – odpowiadam i podaję jej broń, zamknąwszy lufę wcześniej z trzaskiem. Kobieta przykłada strzelbę do ramienia tak dziwacznie, że zastanawiam się czy kiedykolwiek znalazła się w pobliżu Montany. Zamyka jedno oko bardzo mocno, czego wcale się nie robi przy strzelbie na śrut, i celuje w stronę pralki automatycznej.

– Czy zabijałeś używając tego? – pyta nieco smętnie.

– Tak. Tak, zabijałem – odpowiadam.

– Naprawdę? Co takiego? – pyta dalej i lekkomyślnie kieruje lufę w kierunku kotła do podgrzewania wody.

– Szkodniki – odpowiadam. – Przede wszystkim szkodniki.

– Szkodniki? Naprawdę? Jakie szkodniki? – dopytuje się.

– Szczury, ptaki i węże.

– Ptaki? Ptaki nie są szkodnikami – odpowiada, otwierając szeroko oczy. Wydaje się na nic nie patrzeć.

– Szpaki są – oznajmiam.

– Szpaki?

– Tak, właśnie szpaki.

– Ale czyż to nie są niewinne ptaki, mieszkające na twoim podwórku? – dziwi się. Teraz wymierza strzelbę w gołe żarówki u sufitu i udaje, że pociąga za spust, wydając przy tym odgłosy imitujące wybuch. Z jakiegoś powodu wydaje mi się to bardzo niepokojące.

– Nie... szpaki to okropne, cuchnące ptaszyska – oświadczam. – Nie słyszałaś o szpakach? W Wirginii miewaliśmy do czynienia z ich plagą.

– Plaga – chichocze.

– Właśnie tak. Z plagą. Tym dokładnie były – szpaczą plagą. Gnieździły się w kominach, a potem wiosną wylęgały się ich pisklęta. Pisklaki wlatywały do sypialni i obsrywały dywany, zasłony, narzuty.

– Dlaczego wlatywały do sypialni? – pyta, trzymając kolbę strzelby dociśniętą do żuchwy.

– Co? – odpowiadam pytaniem.

– Dlaczego pisklęta szpaków wlatywały do sypialni, zamiast lecieć w górę komina i w przestworza?

– Ponieważ małe szpaczki, kiedy się wylęgną, zwykle wypadają z gniazda, zanim nauczą się latać. Nie zauważyłaś tego w Montanie?

– Gdzie? – dziwi się.

– W Montanie. Czy nie mówiłaś, że stąd właśnie pochodzisz?

– Ach, tak... z Montany. Racja. Ale nigdy nie widziałam piskląt wypadających z gniazd.

– Może nie zwracałaś dostatecznej uwagi na pory roku – stwierdzam.

– Więc w Wirginii musiałeś zabijać te szpacze pisklątka dlatego, że wlatywały do twojej sypialni i robiły bałagan?

– Właśnie tak.

– Nie mogłeś po prostu otworzyć okna i pozwolić im wylecieć na zewnątrz?

– Szpaki są bardzo głupimi ptakami – mówię.

– Nie potrafiły wylecieć?

– No właśnie. Rozbijały się o szyby i następnie spadały na podłogę, plamiąc wszystko krwią i nieustannie świergocząc.

– Nie mogłeś ich po prostu wypłoszyć miotłą czy czymś podobnym?

– Nie. Nie mogłem ich wypłoszyć miotłą.

– Dlaczego nie?

– Ponieważ chciałem widzieć, jak zdychają! Właśnie dlatego nie mogłem. Chciałem patrzeć, jak rozbryzgują się na tapecie w stylu kolonialnym i na haftowanych firankach. Chciałem widzieć, jak ich małe piórka unoszą się wokoło w zapylonym powietrzu Wirginii.

– To okropne! – oznajmia. – Po prostu strzelałeś do nich?

– Tak. Upijałem się czerwonym winem, kładłem się do łóżka ze śrutówką czterysta dziesięć na kolanach i paliłem camele, czekając na nie.

– Na niewinne pisklęta? – Spogląda na mnie takim wzrokiem, jakby była przedstawicielką ruchu Greenpeace i nie mogła uwierzyć, że tak bardzo pomyliła się w ocenie mojej osoby.

– A jakże. Leżałem tak niekiedy całymi godzinami, czekając, pijąc czerwone włoskie wino i wsłuchując się w ten okropny odgłos ćwierkania, który oznaczał, że ich głupia matka przyleciała je nakarmić. Wszystkie wtedy gramoliły się nerwowo i kwiliły. Aż w końcu spadały w dół na palenisko i miotały się w popiele.

– To straszne. A ty po prostu tam leżałeś i patrzyłeś na nieszczęsne stworzonka? I nawet nie próbowałeś im pomóc?

– Pomóc? Byłem tam po to, żeby je zabijać! Dlaczego miałbym im pomagać?

– Ponieważ... Ponieważ ludzie tak właśnie... Bo tak właśnie powinny postępować ludzkie istoty... – emocje rosną w niej do tego stopnia, że nie może dalej mówić.

– Patrzyłem, jak machały nieopierzonymi skrzydełkami, usiłując wzlecieć ponad popiołem, i w końcu padały na dywan. Leżały tak przez chwilę, łapiąc dech, rozglądały się wkoło tymi swoimi obrzydliwymi, małymi żółtymi oczkami i dziwiły, gdzie, do diabła, upadły i co się stało z ich przytulnym gniazdem oraz wszystkimi malutkimi braćmi i siostrami. Potem, gdy już dostatecznie odpoczęły, stawały na swych trzęsących się nóżkach, podobnych do nóżek kurczaków, i leciały prosto przed siebie, a później znowu rozbijały się i spadały na dół.

– To po prostu wstrętne! Zmyślasz! – Nie wytrzymuje tego dłużej i odkłada śrutówkę na pralkę, następnie obraca się, jakby chciała wrócić na przyjęcie na górze, lecz ja zastępuję jej teraz drogę.

– Podejmowały nieustannie te okropne próby latania, podfruwając prosto przed siebie i spadając do chwili...

– Naprawdę nie chcę już tego więcej słuchać – mówi przez zaciśnięte gardło i usiłuje mnie odepchnąć.

– Do chwili kiedy w ostatnim ogromnym zrywie uderzały o sufit, potem opadały, szukając czegoś, czego mogłyby się chwycić i co przerwałoby upadek – zazwyczaj były to nasze firanki.

– Nasze? – dziwi się. – Więc mieszkałeś wtedy z kimś? Nie byłeś sam? – Wydaje się, że ta myśl sprawiła jej ulgę.

– Byłem sam – odpowiadam. – Piłem włoskie czerwone wino i byłem bardzo samotny.

– Ojej! – mówi. – No cóż, chyba pójdę już na górę i zobaczę, czy...

Robię szybki ruch w stronę pralki i chwytam strzelbę. Potem łamię lufę.

– Co robisz? – dziwi się.

Idę w stronę skrzyni z bronią i szukając naboi pasujących do strzelby, nie przestaję mówić, opowiadam historię o szpakach głosem typowym dla narratora. Głosem bardzo podobnym do głosu Roberta Stacka.

– Nie przestaję obserwować oniemiałego stworzenia. Cały czas na nie patrzę. Siedzi sobie po prostu na firance i bardzo ciężko oddycha, a serce wali mu jak szalone. Wisi na firance, ocalając drogie życie. Wypiłem już prawie dwie butle wina do tej pory. Brunello di Montalcino. Leżakowane w dębowych beczkach. Próbowałaś go kiedyś? – pytam.

– Nie pijam wina – odpowiada, a jej twarz jest bardzo ponura i śmiertelnie blada. W końcu znajduję zielone pudełko z wąskimi nabojami do czterysta dziesiątki i otwieram je. Wyjmuję jeden nabój, wsuwam go do otwartej komory, a następnie z trzaskiem zamykam lufę.

– No cóż, widzisz, byłem wtedy bardzo nieszczęśliwy. Byłem bardzo nieszczęśliwy i piłem bardzo dużo tego wińska, żeby poczuć się lepiej. Nie dawało mi to szczęścia, sprawiało jedynie, że miałem dobre samopoczucie. Wiesz, co mam na myśli? Czy według ciebie jest w tym sens?

Kiwa potakująco głową.

– Czułem się dobrze, leżąc gdzieś na zabitej wsi zupełnie sam, ze śrutówką na kolanach, zalany w trupa, słuchając cykad, paląc papierosy jednego za drugim i strzelając do szpaków wiszących na firance w mojej sypialni aż do trzeciej nad ranem. Nigdy nie mogłem tego przewidzieć, to prawda. Nigdy nie wiedziałem, że taka sytuacja nadchodzi. Taka jak ta... taka jak ta właśnie.

– Co masz na myśli? – dziwi się.

– To. Nie można tego przewidzieć. Że będę tutaj w piwnicy, pokazując ci strzelby, podczas gdy na górze odbywa się przyjęcie, i że będziemy rozmawiać o przeszłości.

– Sądzę, że po prostu pójdę już na górę i...

Łapie ciężko oddech, kiedy podnoszę strzelbę nad jej głową i celuję w stronę puszki z żółtymi piłkami do tenisa, która stoi na półce wiszącej za nią; zastyga w bezruchu i zaczyna drżeć.

– Nie mam zamiaru cię zastrzelić – oświadczam.

Ona chichocze i wydaje z siebie cichy, charczący dźwięk.

– No cóż, mam nadzieję, że nie – mówi. – Dlaczego miałbyś chcieć mnie zastrzelić?

– Nie chcę – potwierdzam. – Nie chcę cię zastrzelić.

– Czy to nie jest trochę niebezpieczne?

– Co? – pytam, trzymając czterysta dziesiątkę nad jej głową i mierząc w puszkę z piłkami tenisowymi.

– Celowanie do kogoś z załadowaną bronią?

– Nie celuję do ciebie. Celuję do puszki z piłkami.

– Ale mierzysz w moim kierunku – upiera się.

– Nie, nie w twoim. To nie jest w twoim kierunku, widzisz? O, właśnie tam.

Opuszczam lufę tak, że jest teraz wymierzona prosto w środek jej mostka. Zaczyna krzyczeć. Jest to ostry, piskliwy krzyk, typowy dla filmowych horrorów. Na przyjęciu na górze zapada milczenie. Nie słychać ani jednego głosu. Muzyka cichnie. Nawet psy przestają skowyczeć. Kobieta z Montany zaczyna kiwać głową, przechylając ją z jednej strony na drugą, wydaje teraz z siebie stłumiony, kwilący dźwięk.

– Przestań się trząść – mówię do niej, wciąż mierząc w jej klatkę piersiową. Przestaje. – Nie jesteś z Montany, zgadza się? Powiedz prawdę.

Zamyka oczy i zaciska je tak mocno, że w kącikach pojawiają się maleńkie łzy, przypominające kropelki potu.

– Powiedz prawdę! – Potrząsa głową. Z jakiegoś powodu zaczynam mówić do niej szeptem: – Byłem wtedy bardzo, bardzo nieszczęśliwy, kiedy w mojej sypialni strzelałem do szpaków. Czy byłaś kiedyś bardzo, bardzo nieszczęśliwa?

Kiwa głową z zapałem.

– Z jakiego powodu byłaś bardzo, bardzo nieszczęśliwa? – pytam. Nie przestaje kiwać głową, zatykając usta obiema dłońmi. – Ja również nie wiedziałem, z jakiego powodu – oznajmiam. – Nigdy nie mogłem dociec przyczyny. Być może to nieuczciwe pytanie, nie sądzisz? Pytać kogoś, dlaczego był bardzo, bardzo nieszczęśliwy?

Potakuje głową na granicy histerii. Ze szczytu schodów do piwnicy dobiega głos mojej córki.

– Tato? Czy tam na dole wszystko w porządku?

– Tak – odpowiadam. – Wszystko w porządku.

Przerażający atak

W tamtym momencie, tuż przed jego ucieczką, tym, co najbardziej uderzyło dwójkę dzieciaków w zachowaniu ojca, nie było ustawienie surowego jajka w brązowej skorupce na śniadaniowym blacie, między ich miskami z sałatką owocową, i rozwalenie go pięścią z takim impetem, że rozbryzgało się na telefon oraz papierowe torby z drugim śniadaniem, lecz konwulsyjne wybuchy maniakalnego śmiechu podczas sprzątania tego bałaganu. Był to mrożący krew w żyłach impuls, nabierający takiego impetu, że głęboko w oczach ojca dostrzegali zwątpienie, czy będzie w stanie powrócić do normalności; widzieli obawę, że łatwo może pogrążyć się w splątanych wirach sprzecznych namiętności i nie zdoła już nie tylko rozpoznać tych, którzy są mu najbliżsi i najdrożsi, lecz – co jeszcze bardziej istotne – nie rozpozna także samego siebie. Było to instynktowne, niewypowiedziane przeczucie, które zrodziło się w obu chłopcach, graniczące z pojawieniem się świadomości tego, co by się stało, gdyby byli zdani wyłącznie na siebie. Przez całe lata dorastania przyzwyczaili się do zbzikowanych wybuchów ojcowskiego entuzjazmu, kiedy zupełnie nieoczekiwanie zdawał się ulegać jakimś młodzieńczym zachciankom, jak celowe skręcenie w zamknięty z powodu remontu odcinek autostrady, po to by wywrócić wszystkie plastikowe pachołki z pomarańczowymi wierzchołkami, piszcząc przy tym radośnie i waląc pięścią w kierownicę, aż knykcie zaczęły krwawić. Albo kiedy indziej, gdy byli jeszcze bardzo mali, a on wyskoczył z zielonego canoe do nurtu James River i miotał się na wszystkie strony, udając, że tonie. W tego typu ekscesach zawsze był obecny element kontrolowanego widowiska; w gruncie rzeczy nawet w bardzo młodym wieku chłopcy wyczuwali, że ich ojciec odgrywa przed nimi przedstawienie, popisuje się. Nie wiedzieli jednak, dlaczego. Najczęściej występy te były śmieszne i zabawne. Dopiero kiedy mieli kilkanaście lat, zaczęli zauważać wyraźną różnicę w jego odlotach. Różnica ta przejawiała się w stopniu, w jakim on sam był w stanie zachować dystans wobec własnych błazeństw. W coraz większej mierze można było odnieść wrażenie, że podejmuje życiową decyzję i pozwala się przez nią pochłonąć, zagubiony w jakiejś wewnętrznej reakcji, której jego oczy zawsze zaprzeczały. Chłopcy widzieli spojrzenie, w którym pojawiała się groza. Nie doświadczali tego, kiedy byli młodsi. Bez względu na dzikość wybryków, ojciec zawsze się nimi bawił. Tym razem było zupełnie inaczej. Śmiech przemienił się w rechot; rodzaj niszczącego staccato, które już nie było związane z niczym radosnym. Należy zacząć od tego, że miażdżenie jajka samo w sobie wcale nie było zabawne; być może szokujące, ale nie zabawne. W każdym razie nie tak zabawne jak komediowy gag; poza tym przeszkadzało im w odrabianiu lekcji i odbieraniu telefonów. Opuścili więc kuchnię wraz z książkami i zeszytami i telefon zabrali ze sobą. Ich ojciec został na dole na czworakach, z mokrymi papierowymi ręcznikami i wodą wciąż lejącą się do zlewu; co chwila dostawał paroksyzmów szalonego śmiechu. Chłopcy poszli na górę i zamknęli się w swoich pokojach. Nastawili radia na stację z muzyką hiphopową i podkręcili głośniki na maksa, starając się zagłuszyć odgłosy dobiegające z kuchni. Odgłosy teraz głęboko niepokojące i wcale już nie przypominające śmiechu, lecz bardziej podobne do zawodzenia lub lamentu, czy też jęku rannych zwierząt. Te dźwięki powtarzały się wciąż i wciąż, aż nagle milkły, ustępując miejsca chwilom ciszy. Ciszy, podczas której obaj chłopcy przykręcali radia, by posłuchać, co się dzieje. Potem znowu odkręcali gałki, wraz z kolejną eksplozją. Powoli cisza zaczynała brać górę nad histerią, aż wreszcie z kuchni przestały dobiegać jakiekolwiek odgłosy. Dzieciaki usłyszały ciche zatrzaśnięcie tylnych drzwi, a potem ich uszu dobiegł odgłos zapalanego silnika buicka. Słyszały opony szurgające po żwirowej nawierzchni drogi wyjazdowej oraz zmianę biegów, kiedy żwir zamienił się w asfalt. Słyszały warkot wielkiego silnika pogrążający się w ciemnościach nocy, cichnący powoli, aż zamienił się w szum wielkiej, pustej przestrzeni. Przestrzeni, przed którą nie mogły ich ochronić włączone radioodbiorniki. To było kilka lat temu i od tamtej pory chłopcy go nie widzieli.

Dzisiaj zobaczyli kogoś wyglądającego zupełnie jak ich ojciec; ten ktoś przemykał się na pocztę, by odebrać listy. Kiedy zapytali matkę o to, dlaczego kręci się tu w przebraniu, ubrany jak starzec, odparła: – To nie jest przebranie. To on. Szybko się zestarzał.

Szum w uszach

Wtorek, 1 lutego – Normal w stanie Illinois

Palmer? To znowu ja. Dojechałem na wieczór. Jest około... ósmej trzydzieści, dziewiątej mniej więcej. Zjechałem z drogi nieco wcześniej ze względu na to, że mój stary kręgosłup znowu zaczął dawać mi się we znaki, nie mogę wtedy myśleć jasno i trzeźwo; nie wspominając już nawet o chronicznym dzwonieniu w lewym uchu, o którym już ci opowiadałem. Zatrzymałem się w Normal w stanie Illinois, w hotelu sieci Best Western, tuż przy ósmym zjeździe; pokój numer 119, jak mi się zdaje... nie, poczekaj chwilkę... tak, 119. Musiałem zerknąć na klucz. Miejsce nosi nazwę „Normal Midwesterner". To chyba jakiś dowcip. Zameldowałem się pod nazwiskiem „Guy Talmer", z Two Creek w stanie Wirginia – na podstawie fałszywych tablic rejestracyjnych. Brzmi to dość soczyście, ale facio po drugiej stronie lady ani mrugnął. Nie wydaje mi się nawet, żeby w dzisiejszych czasach w ogóle czytali nazwiska. Użyłem karty American Express, tak jak mówiłeś. Nie ma sposobu, żeby skojarzyli mnie z tobą. Wciąż jest cholerna zimnica; minus czterdzieści, gdy wyjeżdżałem z St. Paul, i żadnych oznak ocieplenia. Nie mogę się doczekać dojechania do cieplejszych miejsc na południu, chociaż Nick mówił mi, że w Lexington jest kilkanaście stopni. Powinienem tam dotrzeć jutro około szóstej, może trochę wcześniej, zależnie od ruchu. Na razie autostrada międzystanowa jest odśnieżona i oszroniona, ale wolna od lodu. Służba drogowa wysłała w teren pługi śnieżne. Powinieneś widzieć te kłęby pary unoszące się nad asfaltem, które sprawiają, że czujesz się, jakbyś był na Marsie. Na zewnątrz jest naprawdę mało sympatycznie. Prawdopodobnie nie uda mi się zobaczyć wcześniej twojej klaczy niż w czwartek albo piątek, ale powinna wytrzymać do tego czasu. Natychmiast prześlę ci moją ocenę sytuacji. Faksem albo telefonicznie, usłyszysz coś ode mnie, jak tylko ją obejrzę. Zakładam, że twój prawnik rozmawiał z weterynarzem, od czasu gdy widziałem się z tobą ostatni raz, ale dla przypomnienia powtarzam: życie z niej uchodzi. Ochwaciła się na przednią prawą nogę i wystąpił rozległy wysięk wzdłuż koronki kopyta. Przypuszczam, że to naturalny rezultat nacisku całego ciała po amputacji nogi. W każdym razie doktor Roxsin założył szpile, które zmniejszą nacisk spowodowany zapaleniem części miękkich kopyta, oraz przestawił ją na silniejszą dawkę fenylobutazonu, aby uśmierzyć ból i zmniejszyć obrzęk. Sprawdziłem dwa razy w firmie ubezpieczeniowej i wykazali gotowość honorowania roszczeń w każdej chwili, jeśli podejmiesz decyzję o uśpieniu klaczy. Wszystko to zostało, rzecz jasna, przeprowadzone anonimowo. Czek zostanie wysłany bezpośrednio do mnie, na firmę pośredniczącą, a ja zdeponuję go na dowolnym wskazanym przez ciebie koncie, w Stanach lub za granicą. Podaj mi tylko numer konta i pozostałe dane. Prawdę powiedziawszy, oni nie mogą uwierzyć, że usiłujemy uratować klacz. Miewali do czynienia z roszczeniami związanymi z o wiele mniej poważnymi urazami, po których zwierzęta były usypiane w przeciągu dwudziestu czterech godzin. W tym przypadku minęło już półtora tygodnia, odkąd wybiła jej godzina, a my wciąż utrzymujemy ją przy życiu. Muszą chyba uważać nas za humanitarnych bohaterów czy kogoś podobnego. Już wcześniej przedstawiłem ci moją opinię na temat tej sytuacji, jeśli jednak chcesz przedłużyć jej żywot na tyle, by źrebak przyszedł bezpiecznie na świat, jest to z pewnością twoja decyzja. W końcu klacz należy do ciebie. Oczywiście istnieje też związane z tym ryzyko. Źrebię może przyjść na świat przedwcześnie i zdechnąć wskutek wywołanego porodu lub rozmaitych innych komplikacji, które się z tym wiążą. Moim zdaniem nie ma powodu, by zadawać klaczy więcej cierpień niż te, przez które już przeszła. Swoje obowiązki wypełniła, zwłaszcza te na torze wyścigowym. Nie mogę patrzeć, jak cierpi. To fakt, że źrebię może okazać się prawdziwym koniem wyścigowym, biorąc pod uwagę rodowód matki oraz fakt, że ojciec płodził biegowe talenty; ale czasem trudno te rzeczy stawiać na równi z realnością bólu. Mam tu kanał Weather Channel, nie uwierzyłbyś, jaka paskudna pogoda nadchodzi znad Zatoki Meksykańskiej: lód, śnieg, deszcz ze śniegiem, porywiste wiatry oraz widoczność poniżej zera! Co się dzieje na tym świecie? To chyba gniew boży. W każdym razie dobrze będzie znaleźć się znowu wśród starych łąk Kentucky. Reszta potem.

Wtorek, 2 lutego – Lexington w stanie Kentucky

Palmer... Wygląda na to, że nie mogę cię złapać, ale mam nadzieję, że otrzymałeś telefoniczną wiadomość z wczorajszego wieczora. Dobrze, że mi się udało ją przesłać, ponieważ miałem naprawdę ciężką noc. Budziłem się trzy, może cztery razy w tej godzinie duchów, z powodu odgłosów, które początkowo uznałem za jęki mordowanego. Okazało się, że była to jakaś para wydzierająca się wniebogłosy w sąsiednim pokoju. W hotelu w Normal najwidoczniej ustawia się łóżka wezgłowiem przy ściance działowej; stuki i jęki dochodzące przez całą noc przekraczały ludzkie pojęcie. Moim zdaniem ta dziewucha nie miała faceta chyba przez dobry rok lub nawet dwa, sądząc po tym, co wykrzykiwała: „Tak! Tak! Spuść się we mnie! Och, tak! Pieprz mnie, Jezu! Pieprz mnie!" U-ha, mam nadzieję, że nie słyszała tego jakaś niewinna sekretarka czy ktoś inny. Tak czy inaczej, zameldowałem się teraz w Lexington pod nazwiskiem „Lyle Maybry". Przeszedłem na MasterCard, tak na wszelki wypadek. Sądziłem, że tak będzie bezpieczniej, gdyby udało im się namierzyć miejsce mojego pobytu w Normal. Mam nadzieję, że nie masz nic przeciwko temu. W uchu dzwoni mi dziś wieczorem niemiłosiernie, pomyślałem więc, że pierwszą rzeczą z rana będzie wizyta w klinice i sprawdzenie stanu klaczy. Dziś wieczorem niewiele mogę zrobić, jeśli chodzi o nowe informacje, gdyż w pracy pozostał tam jedynie nocny stróż. Doktor Roxsin zapewnił mnie, że klacz daje sobie radę najlepiej, jak może, chociaż czas biegnie bardzo szybko. Wprost nie mogę uwierzyć w to, co dzieje się z moimi uszami. Nieustanny szum, podobny do zakłóceń w radiu. Nigdy wcześniej tak mi nie dokuczał. To musi być bezpośredni rezultat wszystkich tych lat polowań na kaczki, w czasach kiedy nawet nie marzono o zatyczkach do uszu. Przez większość dni wcale tego nie zauważałem, ale ostatnio szum stale mi towarzyszy. Być może nasila się z wiekiem. Wszystkie części się zużywają. Przy okazji – czy zauważyłeś, że umarł Eddie Arcaro? To naprawdę przełomowa chwila. Nigdy nie zapomnę jego Potrójnej Korony zdobytej na Citation. To było chyba w tysiąc dziewięćset czterdziestym ósmym. Stary „Bananowy Nos". Gładki jak jedwab. Czuję się trochę dziwnie, będąc znowu tutaj, w krainie dżokejów liliputów. Naprawdę chciałem tu przyjechać, lecz teraz, kiedy tu jestem, ogarnia mnie chandra. Zabawne, jak to się dzieje. Chyba zaczyna się od wspomnień. Przypomnienia okresu sprzed wielu lat, kiedy po raz pierwszy spotkałem Martę. Byłem właśnie w tej okolicy, w Keeneland, w 1959 roku. Aż trudno uwierzyć. Pamiętasz, Palmer... to właśnie ty dodałeś mi odwagi, bym zaprosił ją na whisky z wodą i stek. Tak to się zaczęło. Dwadzieścia dwa lata istnego piekła. Tak powiedziawszy prawdę, to mi jej trochę brakuje. Nawet nie wiem dlaczego. Być może zbyt długo jestem w drodze. Usiłuję dojechać do celu. Jeśli nie nawiążemy kontaktu, zawsze możesz zostawić wiadomość w recepcji. Pamiętaj, nazywam się teraz „Lyle Maybry". Sam już się w tym gubię.

Wtorek, 3 lutego – Lexington w stanie Kentucky

Palmer! Gdzie się, do diabła, podziewasz! Muszę skontaktować się z tobą tak czy owak JAK NAJSZYBCIEJ! Byłem na badaniu klaczy i zdecydowaliśmy się działać – wywołać poród, bo jest z nią bardzo źle. Źrebię urodzi się dwa tygodnie przed terminem, lecz w tej sytuacji nie ma innego wyjścia. Jestem w bezpośrednim kontakcie z kliniką, mam pager; dzwonię do ciebie z budki telefonicznej obok Ironwork Pike, używam karty Transmedia na nazwisko „Filson". Nie pamiętam teraz numeru kodu. Znasz już szczegóły; potrzebuję pilnie twojej odpowiedzi; z chwilą gdy klacz zacznie rodzić, dadzą mi znać na pager. Wtedy przerwę tę rozmowę i popędzę z powrotem do kliniki. Potrzebuję od ciebie zgody na uśpienie klaczy, gdy tylko się oźrebi. Nie mogę tego zrobić bez zgody formalnego właściciela. Wyślij mi natychmiast jakieś potwierdzenie. Jak najszybciej. Wybieram się do kliniki, żeby asystować przy porodzie, i dałem jasno do zrozumienia całemu personelowi, że zależy mi na tym, by klacz wylizała źrebaka i była mu matką tak długo, jak będzie w stanie, zanim ją uśmiercimy. Zawsze uważałem, że to ważne dla stworzenia przychodzącego na świat. Zdaje się, że pamiętają o tym w gonitwach, kiedy spada na nie szpicruta. Załatwiłem dobrą końską mamkę, którą przywiozą z renomowanej farmy. Nie ma w tym przypadkowości. Powinna już być w drodze do kliniki. Zbadam ją i upewnię się, że jej wymiona nie są zakażone i że ma dużo mleka, zorientuję się też co do jej temperamentu. Ta klinika jest pierwszorzędna. Palmer, twoja klacz ma tu taką opiekę, na jaką zasługuje. Serce się kraje, kiedy się patrzy, jakie ona przechodzi katusze. To naprawdę kochane zwierzę i bardzo dzielnie wszystko znosi. Odezwij się, jak tylko dostaniesz tę wiadomość. Czas się kończy.

Palmer... no cóż, gratuluję! Masz nowiuśkiego źrebaka. Kawał dorodnego kasztanka. Klacz musiała się źrebić na stojąco i musieliśmy go wyciągać przez prawie cały czas, chociaż był ułożony we właściwej pozycji. Początkowo szło bardzo opornie, potem nagle wyskoczył w momencie, kiedy myśleliśmy, że go tracimy. Daliśmy mu kilka wzmacniających zastrzyków, by utrzymać go przy życiu, i sądzę, że teraz z tego wyjdzie. Poświęcę trochę czasu, żeby postawić go na nogi i wypróbować klacz-mamkę, więc jeszcze nie możemy być pewni, czy uporaliśmy się ze wszystkimi problemami. Czas pokaże. Klacz przeszła przez całą tę gehennę jak prawdziwa championka, pokazała taką samą klasę jak na torze wyścigowym, ale w końcu dałem znak, że można ją już uśpić. Kolejny raz opowiedziałem małą bujdę, utrzymując, że mam prawne pełnomocnictwa i że zostawiłem akt notarialny w motelu. W tych dniach stałem się notorycznym kłamcą. Wszyscy weterynarze zgadzali się ze mną od chwili, gdy się przekonali, że to jedyne wyjścia w jej opłakanym stanie. Noga zaczynała już mocno cuchnąć wskutek rozszerzającego się zakażenia, a klacz po prostu słaniała się na nogach. Doktor Roxsin usilnie apelował, żeby pozostawić ją przy życiu, bo miał na uwadze kontynuację doświadczeń z amputacji, lecz ja po prostu nie mogłem dać na to zgody, widząc, jak ona bardzo cierpi. Jakaż byłaby jej egzystencja, gdyby musiała kuśtykać w kółko na trzech nogach w jakimś miękko wyścielonym boksie nie wiadomo gdzie? Tak więc, co się stało, to się nie odstanie. Mam nadzieję, że ten źrebak wyjdzie z kryzysu i kiedyś zdobędzie dla ciebie duże pieniądze. Pozostaje mi wierzyć, że wszystko to nie przygnębiło cię za bardzo, lecz naprawdę nie mogłem zrobić nic innego, zważywszy na okoliczności oraz fakt, że nie odezwałeś się ani słowem. W Bogu pokładam ufność, że otrzymasz te wieści niebawem. Nie mam zielonego pojęcia, gdzie się podziewasz i w jaki sposób nawiązać z tobą kontakt. Jeśli jest tam jakaś sekretarka, która dogląda interesu, może powinna odezwać się do mnie i potwierdzić, że przekazała ci wszystkie informacje. Nie wiem, co jeszcze mogę zrobić. Pierwszą rzeczą, jaką zrobię jutro rano, będzie skontaktowanie się z agentem firmy ubezpieczeniowej i powiadomienie go, że klacz została uśpiona. Jestem pewien, że nie będzie żadnych problemów z czekiem. Teraz jest już trochę późno, żeby ich złapać – wpół do drugiej czasu miejscowego. Chyba wybiorę się do Barclaya i zamówię szklaneczkę; może nawet dwie. Nie sięgałem po alkohol przez długie miesiące, ale cała ta sprawa naprawdę mną wstrząsnęła. Nie cierpię patrzeć, jak zwierzę przechodzi katusze. Zwłaszcza takie jak ona. Była naprawdę kapitalna. Moje ucho dostało chyba kompletnego szału, a szum nasilił się i przypomina teraz wysokie zawodzenie, podobne do zbliżania się odległego tornado. Mam nadzieję, że to nie jest zły omen. Będę w kontakcie. Jak zawsze...

– Czy mógłbyś pójść na górę i po prostu z nim porozmawiać? To wszystko, o co proszę – zwróciła się do mnie błagalnym głosem małej dziewczynki, który pamiętałem z dawnych czasów.

– Co on tam robi?

– Znowu zakopał się w tych katalogach. O tej porze roku przysyłają mu katalogi. Przychodzą całe pudła, a on wnosi je na górę, jakby były czymś żywym. Idzie do swojego pokoju i już nie wychodzi. Siedzi tam całymi dniami. Teraz już co najmniej od tygodnia.

– Od tygodnia?

– Bite siedem dni. I pali. Robi to przez cały czas, odkąd przestał pić. Pali i kaszle. Dzieci próbowały zanieść mu kanapki, ale nie chce jeść. W ogóle im nie odpowiada. Nawet nie otwiera drzwi.

– Chyba jeszcze żyje, co?

– Och, bardzo zabawne. Myślałam, że przyjechałeś, żeby pomóc.

Mówiąc te słowa, nie wytrzymuje, kąciki jej zmysłowych ust zaczynają drżeć. Usta są również tym, co pamiętam. Czymś, czego nie zapomnę nigdy. Klepię ją po ramieniu, lecz usuwa się szybko, kryjąc twarz.

– Pójdę na górę.

– Dobrze – mówi i rusza w stronę zlewu, jakby chciała się zabrać do większego sprzątania. – Jeśli wpuści cię do środka, zapytaj, jak długo zamierza jeszcze tam siedzieć. Nie pytam dla siebie. Chodzi mi o dzieci.

– Zapytam go.

– Dobrze. Po prostu zapytaj, jak długo jeszcze, jego zdaniem, będziemy musieli to znosić. – Przy ostatnim słowie przełyka ślinę i puszcza wodę pełnym strumieniem, który, rozpryskując się, maskuje jej szloch.

Pokonuję schody, wzdłuż których wiszą fotografie ich dzieci w strojach piłkarskich, z promiennymi uśmiechami na twarzach, a dalej sceny przedstawiające połów ryb i lepsze czasy. Gdy dochodzę do półpiętra, wyczuwam zapach dymu. Podążam za nim korytarzem aż do jego drzwi, z wieszakiem w kształcie podkowy, na którym umieszczono płaszcze przeciwdeszczowe, pasy oraz ciemną wełnianą kamizelkę. Pukam. Brak odpowiedzi.

– Reese? – odzywam się do drzwi. – Reese, to ja, Jamey. Jesteś tam? – Słyszę, jak po deskach podłogi przesuwa się fotel. Cisza. Słyszę, jak wstaje powoli. Kaszel. Podchodzi do drzwi i zatrzymuje się. Mogę dosłyszeć jego oddech po drugiej stronie. Jest bardzo blisko. – Reese? Wpuść mnie, okay? Chcę z tobą pogadać.

– Drzwi są otwarte.

Jego głos jest miękki i załamujący się, jakby nie używał go od dłuższego czasu; niemal chłopięcy. Słyszę, jak wraca na swój fotel i siada. Kiedy otwieram drzwi, gryzący smród lucky strike'ów z impetem uderza mnie w twarz. Od podłogi po sufit pokój wypełnia niebieskoszary obłok. Dostrzegam przez dym, że Reese siedzi przy biurku plecami do mnie. Pokój jest malutki. Jedną ścianę w całości zajmują książki. Pozostałe trzy są obwieszone fotografiami w ramkach, przedstawiającymi konie wyścigowe, dżokejów, klacze oraz źrebaki pasące się na szmaragdowych łąkach. Okno nad jego maszyną do pisania zasłonięte jest wenecką roletą, przez którą widać dach garażu, błyszczący w ostrym październikowym świetle. Pomarańczowe liście klonu opadają majestatycznie i znikają. On wciąż jest odwrócony do mnie plecami. Na jego włosach pojawiły się siwe smugi, otaczające nasadę karku. Z rzeźbionej popielniczki z drewna tekowego, która przedstawia postać polinezyjskiej księżniczki siedzącej na morskim żółwiu, unosi się dymek zapalonego papierosa. Nie odwraca się wcale. Nie rusza się. Stosy ksiąg rodowodowych oraz pomarańczowe jak dynia katalogi koni wystawianych na sprzedaż otaczają go niemal do wysokości ramion, jak papierowa barykada.

– Czy Rena namówiła cię do tego? – odzywa się po upływie chwili, gdy stoję tam i wpatruję się w tył jego głowy.

– Namówiła do czego?

– Zamknij drzwi – poleca.

Postępuję zgodnie z jego instrukcją, po czym on obraca się, by mnie zobaczyć, przesuwa swój fotel tak, jak jeden z tych starszych ludzi w naszym dzieciństwie, których nie powinniśmy byli podglądać, kiedy grali w karty pod nieobecność kobiet. Słyszę, że woda w kuchni przestała lecieć, i wyobrażam sobie, że Rena nasłuchuje. Widzę, jak wyciera miękkie dłonie, stojąc obok schodów, i stara się wychwycić jakieś słowa.

– Zaoferowałbym ci jednego, ale odstawiłem alkohol – zwraca się do mnie.

– Ja też – odpowiadam.

– Coś takiego. My obaj? Dziesięć lat temu zalalibyśmy się w trupa i wylądowali na ulicy.

– Najprawdopodobniej.

– Znalazłem źródło – mówi jednym tchem.

– Znalazłeś co?

– Fabrykę. Klacz rozpłodową. Białego kruka. Właśnie tu!

Uderza dłonią w najniższy stos katalogów, wzburzając tumany popiołu między udami polinezyjskiej księżniczki.

– Musiałem ją wyłowić spośród czterech tysięcy dwustu sześćdziesięciu jeden numerów, ale wreszcie jest!

Przesuwa fotel w stronę biurka, ślini kciuk i przewraca podniszczone strony, lądując na numerze referencyjnym 773.

– O tu! – oznajmia i odchyla się do tyłu usatysfakcjonowany, zapraszając, bym zajrzał w opis rodowodu.

Przez szacunek dla niego spełniam to życzenie i zaczynam szukać okularów.

– Widziałeś kiedyś coś podobnego? – pyta podekscytowany. – Najmniejszej luki w ciągu czterech pokoleń. Czyste złoto.

– No tak, wygląda nieźle – odpowiadam.

– Nieźle? Nieźle! Widziałeś kiedyś „Hey Patcher" z tak bliska? Kiedy po raz ostatni „Hey Patcher" mogłeś zobaczyć dwa pokolenia wstecz? Mówię ci, że od dłuższego czasu na pewno nie.

– Do czego takie klacze jak ta mogą dzisiaj służyć?

– Zamierzam ją podkraść na kanapkę z szynką. Zobacz, z kim ją krzyżowano.

Moje piekące oczy biegną w dół strony i trafiają na kryjącego ogiera, o którym nigdy nie słyszałem. – Traekon? Co to za koń?

– No właśnie. O tym przecież mówię. Jakiś tani kawał gówna przywieziony chyba z Urugwaju. Prawdziwy guzdrała. Nie pokona grubasa biegnącego pod górkę.

– Nie będziesz przypadkiem miał problemów ze sprzedażą źrebaka?

– Źrebaka? Człowieku, przecież wcale mi nie chodzi o źrebaka! Oszalałeś? Chodzi mi o długoterminową strategię. Klacze takie jak ta cechują się niezłomnością serca. To przyszłość. Księgi *Historii wyścigów konnych*!

– Sądziłem, że ostatnio raczej nie dysponujesz grubszą kasą, Reese.

– Kto ci tak powiedział? Ach, chodzi ci o te wydatki?

– No cóż...

– Właśnie. Wieści się roznoszą, jak mniemam. W końcu mnie namierzyli. Mimo to posiadam inne źródła. Prawo Kentucky jest pełne luk. Interesy można robić, wierz mi. Interesy można robić.

– Ile pozamałżeńskich dzieci masz teraz na utrzymaniu?

– Do cholery, o wiele za dużo! Połowa z nich nie jest nawet moja, lecz nie mam funduszy, by się włóczyć po sądach.

Teraz znowu się zamyka; zapala kolejnego lucky strike'a i zagłębia się w księgach rodowodowych, wydmuchując dym na kartki.

– Rena chciałaby wiedzieć, jak długo jeszcze zamierzasz tkwić tu na górze, Reese.

– Rena. Tak sobie pomyślałem. Zadzwoniła do ciebie, prawda?

– Nie, nie zadzwoniła do mnie.

– A jednak zadzwoniła. Mogę to poznać po twoim zachowaniu.

– Moim zachowaniu?

– No. Po tym, w jaki sposób zakradłeś się tu cichaczem.

– Przecież nawet nie patrzyłeś! Byłeś odwrócony do mnie plecami.

– Mogłem to wyczuć. Z biegiem lat stałem się bardzo wyczulony na takie sprawy. Na zdradę i podstęp. Potrafię to wyczuć.

– Wcale się nie zakradłem. To śmieszne.

– Wpełzłeś.

– Słuchaj... ona chce tylko wiedzieć, jak długo. To wszystko.

– Nie potrafię na to odpowiedzieć. Tyle, ile mi zejdzie.

Znowu milknie. Jestem pogrążony w jego ciasnym świecie. Nie ma stąd wyjścia. Mam wrażenie, że moje oczy krwawią od dymu. Patrzę na ścianę z książkami i zatrzymuję się na tytułach: *Ostatnia zielona granica*, *Wiatr nie rzuca cienia*, *To byli kowboje*, *Produkcja płodów rolnych* Wolfe'a i Kippsa oraz cała czerwona seria *Amerykańskiej kroniki klaczy zarodowych* z ciemnymi lukami, z których wyciągnął tomy, żeby pożerać statystyki. W jednej ze szczelin tkwi w kaburze z klamrą

Smith & Wesson kaliber trzydzieści osiem. Pamiętam go z dawnych czasów, kiedy nagle pojawiał się w światłach parkingu, razem z rulonem szeleszczących pięćdziesięciodolarówek. Kolejny liść opada za oknem i po chwili znika.

– Więc uważasz, że wyruszysz do Lexington i spróbujesz sprzątnąć innym sprzed nosa tę klacz? Czy o to chodzi?

– Chcesz pojechać ze mną? – pyta, obracając się do mnie; papieros zwisa z jego wykrzywionych w przebiegłym uśmiechu ust. – Możemy tam pojechać i być z powrotem w ciągu czterech dni. Proste.

– A co z dziećmi?

– Szkoła.

– No, a Rena?

– Rena? – chichocze, potem tłumi kaszel. – Ona mnie nie potrzebuje. Żartujesz sobie? Nie potrzebuje mnie od bardzo, bardzo dawna.

Powraca do przeglądania szarych stron.

– Jest teraz bardzo przygnębiona.

– Przygnębiona?

– Tak mi się przynajmniej wydaje.

– Nie znasz jej.

– Kiedyś znałem.

– Tak, kiedyś ją znałeś, to prawda. – Odkłada wilgotnego lucky strike'a do popielniczki i powoli obraca się w moją stronę. – Znałeś ją bardzo dobrze. Założę się, że nawet teraz chodziły ci po głowie kudłate myśli.

– Myśli? – dziwię się.

– No tak. Myśli. W rodzaju: „Gdyby wciąż była ze mną, zaznałaby prawdziwego szczęścia. Byłaby zupełnie inną osobą niż jest teraz. Wychowywałaby moje małe blondasy, nie jego."

– Niczego takiego sobie nie pomyślałem.

– A jednak myślałeś. Nie wypieraj się tego. Myślałeś sobie coś w tym rodzaju. Czym się kierujesz, sądząc, że nie zmarnowałbyś jej życia podobnie jak ja?

– Nie zmarnowałeś, Reese.

– Nie wciskaj mi tego protekcjonalnego gówna. Wydaje ci się, że w jakiś sposób jesteś ode mnie lepszy, prawda? Zawsze tak było.

– Nie mam zamiaru dać się w to wciągnąć.

– Po prostu odrobinkę lepszy pod każdym względem. Zwłaszcza gdy chodzi o laski.

– Ona tylko chce wiedzieć, kiedy zejdziesz na dół. To wszystko.

Znów zapada cisza, lecz tym razem on się nie odwraca. Wpatruje się prosto we mnie i powoli uśmiech zrozumienia rozjaśnia jego twarz.

– Naprawdę w to wierzysz? – pyta.

– W co?

– Że to wszystko, co ona chce wiedzieć?

– Tak powiedziała.

– To n i e j e s t wszystko, co chciałaby wiedzieć.

– A co jeszcze?

– Chce wiedzieć, dokąd odjechałem! Oto, czego chce się dowiedzieć! Do jakiego kraju! Do jakiego obszaru umysłu! Do jakiego regionu odosobnienia! Kobiety są zwierzętami bardzo społecznymi. Nie wiesz tego? Takie rzeczy budzą w nich grozę!

– Może więc mógłbyś jej to wytłumaczyć.

– Nie mogę jej tego wytłumaczyć! – podnosi głos, zrywając się nagle na równe nogi i uderzając opasłym *Rejestrem ogierów* o kant biurka. – Oszalałeś? Jak mogę jej to wytłumaczyć! Jak mogę jej wytłumaczyć, co dla mnie znaczy każdy z tych rodowodów? Jak dać jej do zrozumienia, co we mnie budzi imię „Nasrullah". Jego dziki temperament. Jego niezrównana szybkość.

– W porządku, wyluzuj, Reese. Nie potrzebuję wykładu.

– „Seattle Slew"! „Storm Bird"! „Native Dancer"! „Silver Spoon!" Jak mam jej wytłumaczyć takie rzeczy – kręci się w kółko jak niedźwiedź w klatce, ten wir odrzuca mnie na regał z książkami. – Nie potrafię jej wytłumaczyć, jak to się dzieje, że widzę cechy „Cool Mood" wzmocnione w dwójnasób w trzecim pokoleniu, robi mi się gorąco i chodzą mi ciarki po plecach! Jak to się dzieje, że „Dr. Fager", „Great Above" oraz „Aspidistra" mają takie same grzywy! Co, do jasnej cholery, mogę z tym zrobić? Ona musi poznać historię! Genealogię! Ciągłość całej dziedziny! Bez tego pogubi się! Całkowicie się pogubi!

Milknie, łapie oddech, jak gdyby nagle wrócił do własnego ciała po długiej nieobecności. Spogląda na mnie takim wzrokiem, jakbym dopiero teraz pojawił się w jego pokoju.

– Posłuchaj, Reese... – mówię. – Może byś po prostu robił krótkie przerwy od czasu do czasu. No wiesz... zszedł na dół i porozmawiał z nią raz na dzień. Wypił kawę. Zobaczył się z dziećmi.

Spogląda na mnie, wciąż usiłując złapać oddech i przymykając oczy w wysiłku, jaki towarzyszy zrozumieniu moich słów.

– Ty z nią porozmawiaj – odpowiada w końcu i powraca na fotel. – Jestem zajęty.

Pochyla się, sięga po *Rejestr ogierów*, a później rzuca go znowu na róg biurka, gdzie jest jego miejsce. – Zejdź na dół i wypij z nią filiżankę kawy. Oboje musicie mieć sobie dużo do powiedzenia. Możecie sobie powspominać. Przejść się aleją wspomnień.

– No więc nie chcesz, żebym jej cokolwiek od ciebie przekazał?

– Ależ tak. Tak, chcę. Powiedz jej... Powiedz jej, że pewnego pięknego dnia pojawię się znowu. Wyjdę z powrotem na światło dnia!

– W porządku – odpowiadam, obserwując, jak sięga po papierosa i znowu pogrąża się w swoich książkach. Przechodzę przez pokój w kierunku drzwi i chwytam za klamkę. – No cóż, dobrze byłoby znowu cię zobaczyć, Reese.

Widzę, jak jego kręgosłup napina się lekko, a tył głowy przechyla się w moją stronę.

– Moglibyśmy tam pojechać, wiesz o tym – odzywa się miękkim głosem, jaki słyszałem, zanim wszedłem. – Tylko ty i ja. Jak za dawnych czasów. W Kentucky. Nic nas nie zatrzymuje. Pomyśl o tym.

– Straciłem nieco kontakt z tym światem.

– Ty wciąż o tym. Wciąż śpiewasz tę samą piosenkę. Bez końca o śmiesznych pieniądzach.

– Czułbym się teraz jak ryba wyjęta z wody, Reese.

– No jasne, prawdopodobnie tak byś się czuł.

– A zatem powodzenia z tą klaczą. Mam nadzieję, że uda ci się ją zdobyć.

– Ach, pewnie, że ją zdobędę. I za niewielką cenę. Należy do takich, które prześlizgną się przez szczelinę. Wiesz, dziś nikt już nie ma cierpliwości. Oni chcą mieć konia wyścigowego od ręki. I nie dostrzegają potencjału. W długiej perspektywie.

– Chyba masz rację.

– Musisz głęboko grzebać w tej grze. Dostrzec historię, która się za tym kryje. Przyczynę i skutek. Tam jest złoto, trzeba tylko dokopać się do niego.

Ponownie wali dłonią w stos katalogów, wzbijając nowe tumany pyłu wśród niebieskawej mgiełki. Powstrzymuję nagły impuls, by podejść do niego i poklepać go po ramieniu, obawiając się, że może zareagować w podobny sposób jak Rena. Naprawdę zapragnąłem poklepać go po ramieniu.

Gdy schodziłem po schodach, usłyszałem głosy dzieci wracających ze szkoły. Chłopiec przywołuje psa. Dziewczynka żegna się głośno z przyjaciółkami. Ich stopy rozgarniają warstwy opadłych liści. Ogarniają mnie obawy. Nie chodzi o to, w jakim stanie mogę znaleźć Renę w kuchni; usłyszę, jak mówią do matki; zobaczę w pokoju ich młode sylwetki. Chodzi o dystans, jaki powstanie wtedy, gdy opuszczę podwórko, wyjadę na ulicę i spojrzę w jego zadymione okno, o wsiadanie do auta, by odjechać. O opuszczenie tego miejsca bez pozostawienia więzi. O to, jak to się mogło stać, że nigdy jej nie było. Jak to się mogło stać.

Przechodzę przez kuchnię, kiedy dzieci wpadają tylnym wejściem, wpuszczając do środka wszystkie psy. Rena wrzeszczy:

– Zdejmijcie buty! Właśnie umyłam mopem podłogę w kuchni! Nie wpuszczajcie tu psów.

Wczuwa się w swoją rolę; w swoje macierzyństwo, w podstawowy instynkt przetrwania. Zatrzymuję się i stoję niemo, a psy kręcą się wokół moich nóg. Rena chwyta jednego z nich za obrożę, odciąga do tylnych drzwi i wyrzuca na zewnątrz wiercącego się żółtego psa z różową fluorescencyjną obrożą. W trakcie tego zamieszania spogląda na mnie, ze wzburzonymi włosami opadającymi jej na oczy. Jej twarz ma teraz zupełnie inny wyraz. Niemal bezwzględny.

– A więc... – odzywa się. – Jak było? Rozmawiałeś z nim?

– No tak, rozmawiałem.

Dzieci wpatrują się we mnie, ściągając tenisówki i wrzucając je do kosza pełnego hokejowych kijów. Rena wykopuje drugiego psa tylnymi drzwiami i zatrzaskuje je. Dziewczynka mówi:

– Nie kop Taszy, mamo!

– Nie kopałam Taszy – odpowiada Rena. – Popychałam ją.

Chłopiec zerka na mnie w zabawny sposób, jakbym mógł być jednym z tych niebezpiecznych compadres, o których słyszał w tajemniczych opowieściach swojego ojca.

– Mamo, czy tata już wyszedł ze swego pokoju? – pyta i kieruje się prosto do lodówki, otwiera drzwi i wpatruje się w sok pomarańczowy.

Rena nie odpowiada. Podchodzi i zatrzymuje się tuż obok. Czuję jej oddech na szyi. Kładzie dłonie na biodrach i spogląda prosto na mnie. W jej twarzy nie ma nadziei ani gniewu, ani nawet strachu. Chce po prostu usłyszeć to, co już wie. Chce to usłyszeć z moich ust.

– No i? – pyta. – Jakie nowiny?

– Prosił, żebym ci powiedział, że któregoś dnia zjawi się z powrotem, wyjdzie na światło dnia.

Rena opuszcza dłoń z biodra i odwraca się do córki, jakby w ogóle mnie nie słyszała. Uśmiecha się.

– Jak się miewa moja cudowna dziewczynka? – pyta i opada na kolana z szeroko rozłożonymi ramionami, chcąc ją przytulić. Chłopiec trzaska drzwiami od lodówki i nie rusza się. Jest odwrócony plecami do mnie. I tak stoi.

Wielki sen o niebie

Między dwoma starymi mężczyznami powoli narodziła się radosna rywalizacja, polegająca na tym, który z nich wstanie rano wcześniej. Nikt nie wie, kiedy to się zaczęło. Sherman, młodszy z tej dwójki o trzy lata, ostatnio zaczął się wymykać ze swego śpiwora o wpół do piątej nad ranem. W całkowitej ciemności przesuwał ostrożnie bose stopy po czerwonym linoleum, nie podnosząc pięt, żeby nie spowodować żadnego odgłosu. Okręcał ręcznik wokół łańcuszka od włącznika świetlówki umieszczonej nad umywalką w łazience, by wytłumić szum wody, a światło stopniowo jaśniało i rzucało migoczącą zielonkawą poświatę na pogrążoną we śnie twarz jego towarzysza, Deana... długoletniego towarzysza, Deana. Sherman nie był całkiem pewien, skąd brała się w nim ta głęboka satysfakcja ze zwycięstwa w konkurencji „porannych ptaszków". Pieniądze nie wchodziły wcale w grę. Nie było też jakichkolwiek nagród. Najczęściej nawet o tym ze sobą nie mówili. Na dobrą sprawę nie był w stanie sobie przypomnieć, czy kiedykolwiek nadali temu formę oficjalnego współzawodnictwa. Rozwinęło się ono spontanicznie w ciągu wielu lat, niezliczonych dni i nocy spędzanych razem. Zdecydowanie jednak istniało poczucie zwycięstwa. Było wyraźne. Niekiedy czuł je w stopach – ciepło powoli spływające w dół, do łydek i za kolana. Czasami odczuwał w piersiach i ramionach...

a pewnego elektryzującego ranka poczuł dokładnie na czubku głowy. Cała głowa promieniała. Pamiętał to. Promieniała zupełnie tak jak lampa jarzeniowa nad umywalką w łazience – jaskrawa poświata zalała czaszkę, spłynęła w dół do karku i kręgosłupa, a potem światło zapaliło się w całym jego ciele. To było światło, jakiego nie znał nigdy wcześniej; mógł je porównać jedynie ze snem o niebie, jaki mu się przyśnił, kiedy miał jakieś dziesięć lat. W tym śnie pojawiało się podobne światło, pamiętał też poczucie bezpośredniej więzi z jakąś siłą, której moc można było porównać do słońca. Gdy był chłopcem, wałęsał się całymi dniami ze wspomnieniem tego snu w głowie, jednak światło nie pojawiło się już więcej, aż do tej sprawy z Deanem po wielu, wielu latach milczącej rywalizacji w rannym wstawaniu. Sherman cieszył się poczuciem zwycięstwa bardzo krótko, ponieważ już następnego dnia Dean udawał, że zasypia, i siedział prosto jak kołek w bujanym fotelu z szeroko otwartymi oczyma, gdy Sherman mamrotał i pochlipywał przez sen w poduszkę. Dean przyciągnął fotel i podstawił go pod brzuch Shermana, żeby ten nie miał najmniejszych wątpliwości, kto jest zwycięzcą tego ranka. Dean nie mógł się doczekać, kiedy słońce wzejdzie na tyle wysoko, by ogrzać powieki Shermana i zmusić je, żeby się rozwarły. Spoglądał w dół na pociągłą twarz, patrzył, jak Sherman zmaga się z resztkami marzeń sennych i zaczyna uświadamiać sobie, że przegrał. Dean obserwował gałki oczne Shermana, kręcące się, obracające pod powiekami zupełnie jak u psów. Nawet ciche pojękiwania i zawodzenia dobiegające z gardła Shermana były podobne do skomlenia śpiącego psa. O czym, na Boga, mógł śnić? Już nie o kobietach – z pewnością nie. Dean miał nadzieję, że to nie był sen o kobietach. Dla dobra Shermana. Obaj byli na to zbyt starzy. Zbyt obolali. Dlaczego mieli się torturować, skoro proste przyjemności życia na pustyni dotrzymywały im towarzystwa? Głosy stadka przepiórek ukrytych w cieniu; zapach bekonu; gra w domino; wpatrywanie się w niknący obłok pyłu wznieconego przez pocztową ciężarówkę, oddalonego o milę, na tle wyszczerbionego cienia masywu Smith Mountain. Jednak największą codzienną przyjemnością, na którą obaj wyczekiwali, był spacer do lokalu „U Denny'ego" przy autostradzie, gdzie wypijali kawę i zjadali ryżową zapiekankę z serem. Dla obu to było prawdziwe niebo.

Znali się nawzajem od wieków. Dorastali w Dakocie Południowej, w maleńkiej osadzie o nazwie „Alma" (tak przynajmniej było napisane na budynku urzędu pocztowego). Ich życiowe drogi rozeszły się na wiele lat, zawsze jednak potrafili do siebie wracać, aż w końcu, po okresie rozdzielenia, gdy ich żony umarły, a dzieci przeniosły się do krzemowego komputerowego piekła, postanowili zamieszkać wspólnie w małym bungalowie zbudowanym z pustaków, na skraju Twentynine Palms. To rozwiązanie pasowało im obu. Mieszkali tam, dość zadowoleni, już od jedenastu lat. Miewali lepsze i gorsze chwile, kiedy dla przykładu Sherman stwierdził, że Dean zastrzelił szesnaście przepiórek gnieżdżących się na tylnym ganku, a potem miał jeszcze czelność przyrządzić je w rondlu i podać na śniadanie ze smażonymi jajkami. Sherman rozpłakał się wtedy nad losem przepiórek, a Dean przez wiele dni czuł się winny, przesiadując w bujanym fotelu i doświadczając śmiertelnej ciszy, jaką spowodował w parterowym domku. Minęły prawie dwa tygodnie, zanim przepiórki na tyle odzyskały zaufanie, że powróciły i utworzyły stadko, znów wydające łagodne, spokojne poświsty. Do tego czasu Sherman wybaczył Deanowi i teraz borykali się wspólnie z nowym i bardziej ekscytującym zmartwieniem – kelnerką w lokalu Denny'ego imieniem Faye. Rzeczą, która ich łączyła, było niezawodne oko do kelnerek. Nie chodziło przy tym o te śliczne czy seksowne, lecz o kelnerki z sercem. Kelnerki z nieomylnym wyrazem współczucia w oczach. Obaj zgadzali się co do tego, że były one wielką rzadkością, lecz kiedy w końcu odkryli Faye, wydawało się, że znaleźli nowy cel w życiu. Każdego dnia w południe brali prysznic i golili się, wkładali czyste koszule, sznurkowe krawatki z zapinką, wyprasowane spodnie khaki i kowbojskie kapelusze w stylu „Open Road", a następnie wędrowali na piechotę długą i zakurzoną drogą prowadzącą do autostrady. Przed wejściem do Denny'ego wycierali buty z kurzu o nogawki spodni, sprawdzali sobie nawzajem, czy krawaty leżą prosto, a potem zdejmowali stetsony i wkraczali do klimatyzowanego wnętrza. Dobrze znali godziny pracy Faye i zawsze przychodzili w porze obiadowej, żeby móc ją obserwować w akcji. Mogli stać cierpliwie obok siebie – trzymając w dłoniach kapelusze, które zakrywały im kolana, i czekać nawet czterdzieści pięć minut, aż zwolni się jakiś boks, tylko po to, żeby popatrzeć, jak Faye kołysze swymi zdumiewającymi biodrami, przechodząc przez kuchenne drzwi, balansuje tacami z parującym indykiem czy kanapkami z bekonem, sałatą i pomidorem – zawsze z rozbrajającym uśmiechem przemyka między ludzką menażerią: tłuściochami, odrażającymi grubymi pijakami i pomyleńcami – nie czyniła żadnej różnicy, wszystkich obdarzała jasnym, pełnym życzliwości spojrzeniem. Zdaniem Deana i Shermana nikt z tamtych tego nie zauważał i z pewnością na takie spojrzenie nie zasługiwał. Czasy „dżentelmenów" należały od dawna do przeszłości, lecz oni co dzień w południe zjawiali się „U Denny'ego", by przypomnieć Faye, że piękno, jakie prezentowała, było wielkim błogosławieństwem. Ona również to doceniała. Jej twarz zawsze rozpromieniała się nieco bardziej, kiedy widziała, że czekają obok kasy. W głowie Shermana jaśniało światło i czuł, że to samo zjawisko jest udziałem Deana, nigdy jednak nie wspomniał mu o tym, z obawy, że Dean uznałby takie stwierdzenie za nazbyt ezoteryczne. Dean preferował rzeczy jasne i proste. Kiedy w końcu wskazywano im wolny boks, układali swoje stetsony obok siebie, rondem do góry, z główką opierającą się na błyszczącej, czerwonej tapicerce z plastiku. Miało to sprzyjać szczęściu. Jeśli kapelusz postawi się rondem do dołu, można zapomnieć o wszelkiej nadziei na szczęśliwy traf. Obaj dobrze o tym wiedzieli. Obaj też zgadzali się w milczeniu, że ich wersja „szczęścia" z biegiem lat delikatnie się zmieniała. Teraz nie miało to już nic wspólnego z pieniędzmi, sukcesem, zdrowiem czy też „przyszłością", obojętne, jakiego rodzaju – to była podstawowa różnica. „Szczęście" wiązało się teraz z chwilą obecną. Z podtrzymywaniem teraźniejszości. Na dobrą sprawę, z jej celebrowaniem. Usiąść tutaj w czerwonym boksie – plecami do przeszklonego okna i Colorado River oraz piekącego skwaru pustyni Mojave, być tu, w lodowatych powiewach klimatyzacji, i widzieć oczy Faye skierowane na nich, i widzieć jej uśmiech, ten uśmiech, kiedy zmierza w ich stronę wraz z notesem i ołówkiem gotowym do przyjęcia zamówienia – to było szczęście niezwykle rzadkiego rodzaju. Szczęściem była długotrwała przyjaźń, prawdziwe partnerstwo w ich wieku; a także to, że uniknęli skazania na okrutną i bezsensowną samotność w jednym z tych przeszklonych „domów", jakie od czasu do czasu mijali w Palm Springs. Żaden z nich nie miał powodów, by podejrzewać, że ta szczęśliwa wspólna sielanka może kiedyś ulec zmianie; ten ustalony układ, w którym dni i noce spędza się wspólnie bez komplikacji, bez zbytniej gadaniny oraz z głębokim poczuciem satysfakcji, związanym z najdrobniejszymi detalami, takimi jak choćby sposób, w jaki Faye lizała koniec ołówka i lekko wzdychała. Tak właśnie układały się sprawy, kiedy Dean i Sherman spędzali wspólnie już dwunasty rok w bungalowie z pustaków na skraju Twentynine Palms, do momentu, gdy pewnego ranka ich niebo runęło. Sherman obudził się nieco później i stwierdził, że Dean wyszedł. Sprawdził w pokojach, na ganku i w najbliższym otoczeniu parterowego domu, biorąc ze sobą laskę z hikory dla obrony przed grzechotnikami, lecz nigdzie Deana nie znalazł. Zaparzył sobie dzbanek szałwii i podgrzał tartę z jagodami, potem usiadł z nią na ganku, obserwując, jak wschodzące słońce zmienia barwy krzewów juki i manzanita. Obserwował też kojota przemykającego chyłkiem na drugą stronę drogi ze złowionym szczurem w pysku. Patrzył, jak wąskimi smugami unoszą się opary upału, a potem rozszerzają się w miejscu, gdzie się zaczyna asfalt autostrady. Słuchał, jak cichnie stado przepiórek, w miarę jak słońce grzeje coraz mocniej i do dalekich odgłosów przejeżdżających ciężarówek dołącza się ryk sportowych samochodów pędzących od strony Los Angeles w kierunku pól golfowych, kobiet i blichtru kasyn. Przez chwilę naszły go myśli o młodych latach, ale je odgonił. Wiedział, dokąd by go zaprowadziły. Słyszał, jak cynowy dach ganku trzaska, rozszerzając się, rozgrzany w pełnym słońcu, i zdał sobie sprawę, że przesiedział w bujanym fotelu bite sześć godzin. Wciąż nigdzie choćby śladu Deana. Zbliżała się już pora ich pójścia z wizytą do Faye „U Denny'ego", więc Sherman postanowił, że może się przygotować, a do tego czasu Dean z pewnością się pojawi. Z jakiegoś powodu Sherman miał kłopot z doborem zapinki do krawata, w końcu zdecydował się na podkowę patynowaną srebrem i inkrustowaną turkusami w miejscu dziur na gwoździe. Wybrał tę właśnie zapinkę, gdyż taką samą miał także Dean. Kupili je w Indio – kierując się przesądem, że noszenie ich podtrzyma sprzyjającą fortunę. Sherman zauważył, że z pudełka zniknęła podkowa Deana, był zatem pewien, że gdziekolwiek się znajduje, ma ją na sobie, co powinno im pomóc ponownie się spotkać. Nie śpieszył się, ubierając się w spodnie khaki i wyprasowaną koszulę oraz wkładając kapelusz „Open Road", lecz Dean wciąż się nie zjawiał i nie było jego śladów na nieutwardzonej drodze. Sherman zaczął się zastanawiać, czy nie powinien przejść się do budki z korzennym piwem i zadzwonić stamtąd na policję, żeby sprawdzić, czy nie było jakichś meldunków dotyczących Deana. Doszedł jednak do wniosku, że jest na to jeszcze za wcześnie, poza tym uważał, że poszukiwania mogą ściągnąć pecha. Odczekał kolejne pięć minut, stojąc wyprostowany na ganku i patrząc zmrużonymi oczami w kierunku autostrady; wypatrywał najmniejszego śladu sylwetki Deana, lecz nic się nie pojawiało. Sherman wyruszył w kierunku knajpy Denny'ego z budzącym się pod mostkiem lekkim uczuciem mdłości. Wyjście do Faye w pojedynkę było po prostu nie fair. Gryzło go obrzydliwe poczucie zdrady, mimo że cały ten czas czekał na Deana i wszędzie go wypatrywał. Jak czułby się on sam, gdyby Dean udał się na spotkanie z Faye, nie powiadamiając go o tym? Sherman zatrzymał się i odwrócił. Spoglądał na bungalow – ich bungalow. Wydawał się teraz pustszy. Bardziej pusty niż zwykle, kiedy idąc obok siebie, zbliżali się do parterowego domu po długim spacerze na pocztę lub do warzywniaka albo wracali z lokalu Denny'ego. Teraz dom wyglądał obco. Sherman ruszył z powrotem na ganek i wszedł do środka. Znalazł kawałek papieru i napisał wiadomość dla Deana: „Dokąd, do diabła, polazłeś? Spotkamy się «U Danny'ego». Zaraz ruszam i zamówię dla ciebie ryżową zapiekankę z serem, więc się nie guzdraj, Sherman." Położył kartkę na kuchennym blacie w widocznym miejscu i docisnął ją solniczką w kształcie kaktusa, żeby jej nie zwiało. Rzucił spojrzenie w drugi koniec kuchni, na siatkowe drzwi, jakby żywił nadzieję, że zobaczy stojącego w nich Deana; ale tamten w nich nie stał. To było takie uczucie, jakby mógł pojawić się tam duch.

Po dotarciu do Denny'ego Sherman czekał jak zwykle obok kasy, w tym samym miejscu, w którym zawsze odstawali swoje razem z Deanem. Stał w taki sam sposób, w jaki stałby, gdyby Dean znajdował się tuż obok niego, lekko trzymając przed sobą w obu dłoniach rondo stetsona. Kręgosłup prosty jak kołek, oczy wypatrujące pierwszego znaku obecności Faye w wahadłowych drzwiach od kuchni. Jednak owego popołudnia Faye nie było w pracy. Zdał sobie z tego sprawę, gdy zasiadł w czerwonym boksie i inna, młodsza kobieta, o ciemnych włosach i kwaśnej minie, podeszła przyjąć od niego zamówienie.

– Gdzie jest Faye? – Sherman zapytał bez ogródek.

– Kto to jest Faye?

– No wie pani, Faye... Pracuje tu od roku albo dłużej.

– Nie znam żadnej Faye – odparła czarnowłosa dziewczyna, zapisując jakieś cyfry w notesie z zamówieniami; nie patrzyła Shermanowi w oczy.

– Nie zna pani żadnej Faye?
– Właśnie, zgadza się. Nie znam. Dopiero co rozpoczęłam tu pracę.
– Skąd zatem pani pochodzi? – dopytywał się Sherman.
– Co to ma znaczyć: skąd pani pochodzi? Starałam się o tę pracę i dali mi ją.
– Więc gdzie jest Faye? Co się stało z Faye?
– Nie... niech pan posłucha, nie znam nikogo o imieniu Faye. Zaczęłam tu pracować dopiero dzisiaj rano i nikogo nie znam. Czy to jasne?
– Proszę tu przysłać kierownika. Chcę się widzieć z kierownikiem.
– No dobrze... W porządku, ale... Czy nie zechciałby pan najpierw czegoś zamówić?
– Nie, nie chcę niczego zamawiać. Chcę się widzieć z kierownikiem.
– Chyba nie ma pan zamiaru złożyć na mnie skargi, prawda?
– Nie. Po prostu chcę się dowiedzieć, co się stało z Faye.
– Dzisiaj jest mój pierwszy dzień pracy i jeśli pan poskarży się na mnie, to wtedy...
– Chcę tylko wiedzieć, co się stało z Faye! To wszystko! Gdzie jest Faye?! Ktoś musi wiedzieć, gdzie jest Faye! – Sherman walnął w stół z taką siłą, że serwetnik podskoczył i uderzył w kolano czarnowłosą kelnerkę. Kiedy zerwał się na nogi, żeby jej pomóc, dziewczyna krzyknęła z przerażenia, a w całym lokalu zapadła grobowa cisza. Sherman zastanawiał się, czy przypadkiem jego dobra passa nagle gdzieś nie uleciała. Czy znowu nie pogrąży się w dawno zapomnianych ponurych czasach, zanim zaczął wieść spokojny żywot wraz z Deanem na skraju Twentynine Palms. Czasach, gdy budził się w rowie z połamanymi żebrami i splądrowanymi kieszeniami. To mogłoby się zdarzyć, i to szybko. Wiedział, że by mogło. Niewiele był w stanie zrobić, by temu zapobiec.
– Czy mogę w czymś panu pomóc, proszę pana?

Głos kierownika zabrzmiał niskim barytonem. Sherman podniósł wzrok i zobaczył postawnego, uśmiechniętego, czarnoskórego mężczyznę w niebieskiej koszuli i czerwonym krawacie. Ciemnowłosa kelnerka pokuśtykała w stronę kuchni, narzekając na bolące kolano.

– Jestem ciekaw, co się stało z Faye – odezwał się Sherman.

– Faye?

– Tak. Faye. Wie pan... kelnerka. Pracowała tu codziennie przez ponad...

– Tak, Faye. No pewnie. Wiem, kim jest Faye. Pracuje tutaj.

– No właśnie! Pracuje. Wie pan, o kim mówię.

– Tak, wiem. Więc o co chodzi?

– Gdzie ona jest? Gdzie jest Faye? – Sherman słyszał desperację we własnym głosie i przez chwilę był zszokowany. Doznał wstrząsu, zdając sobie sprawę, jak bardzo uzależnił się od jej widoku, od pewności, że była na tym świecie każdego dnia o tej samej porze.

– No cóż, przeszła na cmentarną – odparł kierownik.

– Na cmentarną?

– Tak, wie pan... od północy do ósmej rano. Cmentarna zmiana.

– Ach, tak... Zatem chce pan powiedzieć, że wciąż tu pracuje? wciąż pracuje tu, „U Denny'ego"?

– Tak, proszę pana... ale jest teraz na innej zmianie. Pracuje nocą.

– Aha... W porządku. Rozumiem.

– Czy to wszystko, co chciał pan wiedzieć, proszę pana? Nie miał pan przypadkiem jakichś kłopotów z tą nową kelnerką?

– Och nie... nic podobnego. Po prostu zastanawiałem się, co z Faye.

– Wszystko w porządku, proszę pana.

– Ach... jest jeszcze jedna sprawa.

– O co chodzi, proszę pana?

– Mój wspólnik... przychodzę tu codziennie razem z moim wspólnikiem... Deanem. Musiał nas pan widzieć. Zawsze razem...

– Ależ tak, proszę pana. Wiemy, kim jesteście. Znamy was.

– O właśnie... No więc... Czy nie widział go pan tu ostatnio? Chodzi mi o... Deana... tak ma na imię. Czy nie widział go pan, jak tu był w ciągu ostatnich godzin?

– Ależ tak, proszę pana. Był tutaj ostatniej nocy.

Sherman poczuł uderzenie między łopatkami, przypominające kopnięcie prądem. W pierwszej chwili pomyślał, że może to być znany z dawien dawna świetlisty grom, który poraził go w drodze do nieba, lecz tym razem ostrzejszy, raniący, zadający rany jak zazdrość. To było właśnie to – kopniak zazdrości wymierzony między łopatki.

– Ostatniej nocy?

– Zgadza się. Przyszedł przed świtem... gdzieś tak o trzeciej, czwartej nad ranem. Nie było tu już prawie żywego ducha.

– Dlaczego to zrobił?

– Słucham pana?

– Ach, nie, nic... – odpowiedział Sherman i zaczął szykować się do wstania i opuszczenia czerwonego boksu. – Więc mówi pan, że był tu o czwartej nad ranem, hmm?

– Właśnie tak. Musiało tak być. Naprawdę późno... lub wcześnie, zależnie... Siedzieli przy stoliku w rogu, w tamtym boksie, sączyli kawę i śmiali się niemal do wschodu słońca.

Sherman, wstawszy, poprawił krawat. Wyciągnął szyję, jakby chciał spojrzeć w niebo przez ogniotrwały sufit, potem włożył stetsona na głowę.

– Nie było wtedy żadnego klienta, z którym mogłaby pomówić, więc pozwoliłem jej posiedzieć z nim. Nie widzę w tym nic nagannego. To z pewnością wielka dama, może mi pan wierzyć na słowo.

– Z pewnością tak – Sherman zmusił się do uśmiechu, dotknął kapelusza czubkami palców, żegnając się z kierownikiem, i skierował się w stronę drzwi.

Gdy wracał do bungalowu długą nieutwardzoną drogą, nie bardzo wiedział, gdzie właściwie się znajduje. Przez chwilę sądził, że wrócił do Arizony i pracował w zagrodzie. Czuł nawet zapach krwi. Musiał potrząsnąć głową i spojrzeć na linię horyzontu, by pozbyć się tej wizji, jednak wciąż nie rozpoznawał okolicy. Od bardzo, bardzo dawna nie odczuwał takiej panicznej samotności. Słońce osiągnęło najwyższy punkt na niebie, gdy Sherman poczuł, że tył jego kołnierza jest gorący jak ogień. Poprawił kapelusz, lecz wadą fasonu „Open Road" było zbyt wąskie rondo jak na pełne słońce. Kark piekł go niemiłosiernie, głowa przemieniła się w kocioł parowy. Wiedział, że coś go prowadziło, lecz jego umysł nie był w stanie nawiązać kontaktu z rytmem ciała. Obserwował czubki butów przebijające się przez pył. Patrzył na rytmiczne wymachy ramion, lecz jakoś nie wczuwał się w ten rytm. Gdy zbliżył się do bungalowu, dostrzegł refleks słońca odbijający się od zapinki krawata Deana w kształcie końskiej podkowy. Widział, że Dean siedzi na ganku w fotelu na biegunach i spogląda w jego stronę. Wiedział, że to Dean, lecz nie odezwał się ani słowem, nie kiwnął też ręką w geście powitania. Dean również się nie poruszył. Po prostu siedział bez ruchu w fotelu, spoglądał przed siebie i milczał. Kiedy Sherman minął go i wszedł do domu, Dean nawet nie drgnął; wpatrywał się tylko prosto przed siebie. Dean słyszał, jak Sherman szuka czegoś w szafie w sypialni; otwiera i zamyka szuflady komody. Żaden z odgłosów czynionych przez Shermana nie objawiał gniewu ani też nie wydawał się prowokować Deana do wstania z fotela. Brzmiały tak, jakby ktoś był w środku i czegoś szukał lub porządkował rzeczy. Na koniec Sherman wyszedł przez siatkowe drzwi z niewielkim płóciennym workiem marynarskim, wypełnionym jego rzeczami. Na worku widniał stempel „U.S. Army" – białe litery obok zepsutego suwaka. W drugiej ręce Sherman niósł ukulele w małym zielonym futerale, przewiązanym sznurkiem na supeł. Sherman nawet się nie zatrzymał, nie obrócił głowy i nie wydał żadnego dźwięku poza odgłosem kroków mijających ganek i schodzących po stopniach na piasek. Dean obserwował plecy Shermana, na których widniały plamy potu, gdy ten oddalał się od niego coraz dalej i dalej, idąc gruntową drogą prowadzącą do autostrady. Koncentrował wzrok na iksie, który utworzyły szelki między łopatkami Shermana. Wpatrywał się w coraz mniejszy znak iks. Nagle Dean zerwał się na równe nogi z bujanego fotela, ruszył ku krawędzi ganku i zatrzymał się w bezruchu. Jego głos drżał nieco, kiedy krzyczał do Shermana. Upłynęło bardzo wiele czasu od chwili, kiedy krzyczał na kogokolwiek, i jego głos był nieco zszokowany.

– To nie był mój pomysł, tylko jej!!! – zawołał.

Sherman się nie odwrócił. Po prostu szedł dalej.

Wszystkie drzewa są nagie

Znalazłem ją na dole, półśpiącą w fotelu, oglądającą film *Trzeci człowiek*. Skuliła się wokół swych pięknych bioder; naprawdę zdumiewających bioder, których widok zawsze burzył we mnie krew. Przesunąłem dłonią po jej talii.

– Cześć, skarbie – mówi tęsknym głosem małej dziewczynki.

Siadam na oparciu fotela i dotykam jej tlenionych włosów.

– Czyż to nie piękny film? – pyta, gdy wspólnie oglądamy końcową scenę czarno-białego obrazu, w której Joseph Cotten mija Ingrid Bergman na długiej wiejskiej drodze, po czym postanawia wysiąść z jeepa i zaczekać na nią.

– Spójrz na te sztuczne liście opadające na pierwszym planie – mówię. Po prostu mi się wyrwało. – Wszystkie drzewa są nagie, lecz na pierwszym planie opadają liście.

Pomrukuje potakująco, a ja zaczynam czuć się głupio z powodu zakłócenia emocjonalnej wymowy filmu niezbyt błyskotliwą intelektualnie uwagą. Ingrid Bergman idzie w kierunku kamery równym, miarowym krokiem. Jej chód jest wspaniały, pełen kobiecej siły. Jest wysoka, wyprostowana i pełna rezerwy. Joseph Cotten zapala papierosa i czeka. Czuje się coś aroganckiego w tym oczekiwaniu; coś typowo męskiego. Liście wciąż opadają na pierwszym planie, tuż przed obiektywem. Zaczynam myśleć o sztuce filmowej od kuchni. Rekwizytorzy wdrapali się na drabinę tuż za kamerą i zrzucają jesienne liście, tak żeby opadały tuż przed obiektywem. Do tego dochodzi dmuchawa. Ktoś musi kontrolować siłę nawiewu. Zagłębiłem się po prostu w ten wątek. Nie orientuję się w przebiegu fabuły, nie mam też żadnego stosunku do filmowych postaci. Ingrid Bergman zbliża się i mija Josepha Cottena, ledwo co na niego spojrzawszy. Przechodzi obok kamery, nie zmieniając tempa kroków, i znika, zostawiając go samego z zapalonym papierosem. Jego arogancja topnieje w oczach. Patrzy w ślad za nią. W oczach można dostrzec wyraźnie poczucie straty oraz niespełnionego pragnienia; oczach psa-przewodnika, które wydają się nigdy nie zaznawać tyle snu, ile trzeba. Nagle akcja filmu wciąga mnie, chociaż nie wiem, jak to się dzieje. Daję się złapać w tym momencie, w którym życzą sobie tego twórcy filmu. Żywiołowa muzyka na cytrze działa na mnie. Zaczynam wierzyć, że opadające liście są prawdziwe. Moje uczucia przeskakują w stronę niedającego się rozwiązać konfliktu między płciami. Czuję się szczęśliwy, że jestem tu i teraz z tą, którą kocham, dotykając jej tlenionych włosów blond. Na ekranie pojawiają się końcowe napisy.

– Dlaczego Ingrid Bergman nie zatrzymała się, skoro on na nią czekał? – pytam. – Przecież widziała, że czeka.

– To nie była Ingrid Bergman – odpowiada dziewczyna.

– Nie była? Wyglądała tak jak ona.

– Tak, ale to nie ona.

– Kto to wobec tego był?

– Ktoś, kto wygląda bardzo podobnie jak Ingrid Bergman.

– Ale to nie była ona?

– Nie, nie była.

– Jesteś pewna?

– Całkowicie.

– Dobrze, lecz dlaczego ona się nie zatrzymała?

– Chyba go oskarża.

– Oskarża go o co?

– Co, nie znasz fabuły?

– To było dawno temu. Widziałem to chyba w latach sześćdziesiątych.

– Oskarża go o śmierć Orsona Wellesa.

– Ach!

– Pamiętasz przecież.

– No tak – kłamię. Nie pamiętam niczego, oprócz jakiejś sceny pościgu w kanałach Paryża. Czy to był Paryż?

– Nie pamiętasz? Wrobili go. Z tą szczepionką.

– Ależ tak – znowu kłamię.

– Wszystkie te dzieci umierają wskutek podania oszukanej szczepionki.

– Racja.

– Mówiąc prawdę, jestem zupełnie wyczerpana. Zamierzam pójść do łóżka. Możesz pozamykać na dole? – pyta.

– Oczywiście – odpowiadam.

Opuszcza pokój, ziewając i przeciągając się. Wciskam klawisz pilota i ekran telewizyjny momentalnie robi się czarny. Patrzę w ślad za nią. Przez duże wykuszowe okno dostrzegam niebo rozjaśnione nagłą błyskawicą. Widzę rzekę tak wyraźnie jak w dzień. Grzmot przetacza się gdzieś daleko w dolinie. Pachnie deszczem i rybami. Psy drapią w siatkowe drzwi. Są prawdziwymi tchórzami, jeśli chodzi o pioruny. Jak dawno temu pocałowałem ją pierwszy raz i kogo wtedy udawałem?

Spis rzeczy

PRINTED IN POLAND
Państwowy Instytut Wydawniczy, Warszawa 2004
ul. Foksal 17, 00-372 Warszawa
e-mail: piw@piw.pl www.piw.pl
Wydanie pierwsze
Skład i łamanie:
Oficyna „Polico-Art", Warszawa
Druk i oprawa:
OPOLGRAF S.A.
ul. Niedziałkowskiego 8/12, OPOLE